피천득 문학 전집 4

번역시집
나는 미를 위하여 죽었다

피천득 문학 전집 4

번역시집
나는 미를 위하여 죽었다

에밀리 디킨슨 외 지음 / 피천득 옮김
정정호 책임 편집

범우사

일러두기

1. 본문의 저본은 역자의 초판본인 《삶의 노래: 내가 사랑한시, 내가 사랑한 시인》(1994)에 의거했다.
2. 이 번역본의 구성은 외국시 한역, 한국시 영역의 2부분으로 나누었다.
3. 역자의 번역활동을 포괄적으로 보여주기 위해 한국 시 영역도 실었다. 원문은 《사상계》, *Modern Korean Poetry*(1970)등에 실린 번역을 따랐다.
4. 스펜서와 셰익스피어 소네트의 번역 개작도 번역으로 간주하여 포함시켰다.
5. 〈부록〉에서 외국시 한역과 한국시 영역의 경우에는 독자의 편의를 위해 영어 원문과 한국어 원문을 일부만 실었다.
6. 외국 시인들의 경우 일부만 간략한 소개를 써 넣었다.
7. 본문의 맞춤법, 띄어쓰기, 구두점은 오늘날 어법에 따랐다.

피천득 문학 전집(전7권)을 내면서

요즘은 과거에 비해 사람들이 시를 많이 읽지 않습니다.… 요즘의
시대가 먹고 사는 게 너무나 힘들고 경쟁이 치열하기 때문이라는 생각이
들기도 합니다. 남을 누르고 이겨야 살 수 있는 세계에서 시는 사실 잘 읽
히지 않습니다. 하지만 그럴수록 오히려 시를 가까이 두고 읽어야 할 필
요가 있습니다. 시는 영혼의 가장 좋은 양식이고 교육입니다. 시를 읽으
면 마음이 맑아지고 영혼이 정갈해집니다. 이것은 마른 나무에서 꽃이
피는 것과 같은 일입니다.

— 피천득, 〈시와 함께한 나의 문학 인생〉(2005)

피천득은 1910년 5월 29일 서울 종로 청진동에서 태어났다. 3개
월 후 8월 29일, 한반도에서 500년 이상 지속된 조선왕국이 경술국치
로 식민제국주의 일본에 강제 병합되는 민족 최대의 역사적 비극이
일어났다. 우리 민족 최대 수치의 날, 피천득은 태어난 지 3개월 만에
나라를 잃어버린 망국민(亡國民)이 되었다. 더욱이 7세에 아버지를 여
의고 10세에 어머니마저 잃은 고애자(孤哀子) 피천득은 문자 그대로

천애 고아가 되었다. 금아 피천득에게 망국민의식과 고아의식은 그의 삶, 문학, 사상의 뿌리로 자리 잡게 되었다. 특별히 일찍 여읜 '엄마'에 대한 간절한 그리움과 기다림의 서정성과 일제강점기에 대한 반항 정신이 교묘하게 배합되어 있다. 금아의 짧고 아름다운 서정시와 수필은 이런 엄혹한 식민지 수탈시대를 견디어 내면서 피어난 사막의 꽃과 열매들이다. 피천득은 1991년 한 신문사와의 대담에서 "겪으신 시대 가운데 [어느 시대개 최악]"인가에 대한 질문에 "나는 일제 말이 최악이었다고 생각합니다. 당시 아무런 희망이 없었어요. 정말 암담했습니다. 생활 자체도 너무 어려웠다."라고 답변했다.

  시문집 《산호와 진주》(1969)에서 산호와 진주는 피천득 삶과 문학의 표상이다. 〈시문〉에서 밝혔듯이 산호와 진주는 그의 '소원'이나 그것들은 "바다 속 깊이깊이" 있었고 "파도는 언제나 거세고 바다 밑은 무"서웠다. 산호와 진주는 피천득의 무의식 세계다. 망국민 고아가 거센 파도와 무서운 바다라는 일제강점기의 황량한 역사 속에서 쉽사리 현실을 찾아 나설 수는 없다. 결국, 피천득은 마음속 깊이 묻어둔 생각과 이미지들을 모국어로 주조하여 아름다운 산호와 진주라는 서정적 문학 세계를 창조해냈다. 그는 바다처럼 깊고 넓은 꿈이 있었기에 어두운 현실에 굴복하지 않고 기다리며 문학이라는 치유과정을 거쳐 사무사(思無邪)의 경지에 이르게 된 것이다.
  피천득 시와 수필에 자주 등장하는 하늘, 바다, 창공, 학, 종달새 등은 억압된 무의식 세계가 자유를 갈구하는 강력한 흐름으로, 이러한 하강과 상승의 역동적 나선형 구조는 피천득 문학의 토대다. 문인과 학자로서 피천득은 거의 100년 가까이 초지일관 겸손, 단순, 순수를 실천하며 지행합일의 정면교사(正面敎師) 삶을 살았다. 문학은 녹색 식물처럼 궁핍한 시대와 현실에서도 그 토양에서 각종 자양분을 빨아들이고 대기에서 햇빛을 받아들여 생명의 원천인 엽록소를 만들어 내는 광합성 작용을 통해 피천득 삶의 뿌리가 내려졌고 아름다운 열매가 맺혔다.

문인 피천득은 1926년 《신민》(新民) 2월호에 첫 시조 〈가을비〉를 발표하였고 1930년 4월 7일 《동아일보》에 첫 시 〈차즘〉(찾음)으로 등단하였다. 1930년대에 《신동아》, 《동광》, 《신가정》 등 신문, 잡지에 시와 시조를 지속해서 발표함으로써 시인으로의 긴 문학 인생을 시작하였다. 그러나 피천득은 일제강점기의 문화억압과 역사침탈이 극에 달했던 1938년부터 1945년 해방 전까지는 글쓰기를 멈추었다. 그에게 이런 절필은 일종의 "소극적 저항"이었다. 해방 후 피천득은 지난 17년간에 걸쳐 쓴 시들을 모아 첫 시집 《서정시집》(상호출판사, 1947)을 펴냈다.

금아 선생의 첫 수필은 1932년 5월 8일자 《동아일보》에 실린 〈은전 한 닢〉이다. 이후 피천득은 시인보다는 〈수필〉, 〈인연〉 등의 수필가로 알려지게 된다. 문학 인생을 시로 시작한 피천득 본인도 이 사실에 아쉬움을 토로한 바 있으나, 사실 그의 서정시와 짧은 서정 수필은 형식과 운율에서 하나가 될 수 있다. 피천득은 첫 시집을 낸 지 12년 만인 1959년 시, 수필, 번역을 묶어 《금아시문선》(경문사, 1959)을 펴냈고, 그 후 다시 10년 뒤 그간에 쓴 시와 수필을 묶어 《산호와 진주: 금아 시문선》(1969)을 일조각에서 냈다. 다시 10여 년 후 1980년 그는 비로소 본격적인 시집 《금아시선》(일조각, 1980)과 수필집 《금아문선》(일조각, 1980)을 각각 출판했다.

피천득의 작품집 발간의 특징은 매번 새로운 시집이나 수필집을 내기보다 이전 작품을 개정 증보하는 방식이어서 그의 작품집을 보면 문학적 성장과 변화의 궤적이 그대로 드러난다. 초기 서정시와 서정 수필의 기조를 평생 지속한 피천득은 작품 활동한 지 40여 년이 지난 1970년대에 또다시 거의 절필한다. 좋은 작품을 더 이상 쓸 수 없다면 글쓰기를 중지해야 한다고 믿었다. 지나친 결벽성으로 피천득은 아쉽게도 평생 100편 내외의 시집 한 권, 수필집 한 권뿐이라는 지독한 과작(寡作)의 작가가 되었다.

번역은 피천득의 문학 생애에서 매우 중요하다. 피천득은 1926년 9월 《동아일보》에 프랑스 작가 알퐁스 도데의 단편소설 〈마지막 수업〉을 번역하여 4회에 걸쳐 연재하였다. 그는 일제강점기 당시 모국어의 중요성을 알리기 위해 약관 16세 나이에 최초 번역을 발표하였다. 어떤 의미에서 시와 수필을 본격적으로 쓰기에 앞서 번역을 한 셈인데, 피천득은 영문학 교수였지만 번역은 창작과 상호 보완되는 엄연한 문학 행위로 여겼다. 1959년 나온 《금아 시문선》에는 외국시 번역과 자작시 영역을 포함하는 등, 번역을 독립적 문학 활동으로 삼았다. 이런 의미에서 정본(定本) 전집에 번역작업은 반드시 포함되어야 한다. 번역은 피천득에게 외국 문학의 단순한 영향문제보다 모국어에 대한 감수성 제고와 더 깊은 관계가 있으며, 피천득 전집 7권 중 번역이 4권으로 양적으로도 가장 많다. 여기서 번역문학가 피천득의 새로운 위상이 드러난다.

또한, 피천득은 별로 알려지지 않았지만 많은 산문을 썼다. 동화, 서평, 발문, 평설, 논문 등 아주 다양하다. 그동안 우리는 피천득의 '수

필'에만 집중했는데, 이제는 그의 '산문'도 읽고 살펴보아야 할 때가
되었다. 사실 문인 피천득은 어떤 한 장르에 매이지 않고 폭넓게 쓴
다면체적 작가다. 하지만 순혈주의에 경도된 우리 문단과 학계는 이
러한 다-장르적 문인을 높이 평가하지 않는 경향이 있다. 혼종의 시
대인 21세기 예술은 이미 다-장르나 혼합장르가 부상하고 있다. 따라
서 피천득 문학을 논할 때 시, 수필, 산문, 번역을 모두 종합적으로 살
피는 것이 절대적으로 필요하다.

　　학자와 문인으로 금아 피천득의 삶은 어떠했던가. 일제강점기 등
험난한 한국 최근세사를 거의 100년간 살아내면서 그는 삶과 문학과
사상을 일치시켰다. 일제강점기의 끝 무렵인 1930년대 말부터 해방
될 때까지 상하이 유학을 마치고 돌아온 홍사단우 피천득은 불령선
인(不逞鮮人)[반일 반동분자]으로 낙인찍혀 변변한 공직을 얻지 못했다.
일제의 모국어 말살 정책으로 절필하고 금강산에 들어가 1년간 불경
공부하면서 신사참배와 일본식 성명 강요에 굴복하지 않았다. 피천
득은 그 후로도 모든 종류의 억압과 착취에 저항하는 정치적 무의식
을 지니고 일생 "소극적 저항"의 삶을 유지했다. (순응적 인간보다 저항적
인간을 더 좋아한 피천득은 1970—80년대 대표적 저항 지식인 리영희선생과의 2003
년 대담에서 괴테보다 베토벤을 높게 평가했다. 그 이유는 어느 날 그 지역 통치자인
대공(大公)이 탄 큰 마차가 지나가자 괴테는 고개를 숙여 묵례를 올렸으나 베토벤은
그렇게 하지 않았기 때문이다. 피천득이 제일 좋아하는 음악은 베토벤의 것이었고 저
항적 인간 베토벤을 더 존경하고 사랑하였다. 피천득은 일제강점기와 그 이후에도 이
런 의미에서 "소극적 저항"의 문인이었다.)
　　2005년에 쓴 〈시와 함께한 나의 문학인생〉은 피천득 문학의 회고

이자 하나의 문학 선언문이다. 인간으로서 문인으로서 선비로서 피천득의 정직하고 검박한 삶은 궁핍한 시대를 살아가는 한 사람으로 우리가 본받을만한 "큰 바위 얼굴"이다. 삶과 문학과 사상이 일치하지 않는다면 그 밖에 모든 문학적 업적이 무슨 소용일까 라는 생각마저 든다. 피천득의 글을 읽을 때 이런 면을 종합적으로 숙고해야 그의 문학 세계를 균형 있고 온전하게 평가할 수 있으리라.

피천득 자신이 직접 밝힌 문학의 목표는 "순수한 동심", "맑고 고매한 서정성", "위대한 정신세계(고결한 정신)"이다. 이 세 가지가 피천득의 시, 수필, 산문, 번역을 지배하는 3대 원칙이고, 그의 삶과 문학의 대주제는 '사랑'이다. 그는 문학의 본질을 '정(情)'으로 보았고 후손들에게 '사랑'하며 살았다는 최종 평가를 받고 싶어 했다. 문학에서 거대담론이니 이념을 추구해보다 가난한 마음으로 보통사람의 일상생활에서 사소하고 작은 것들에 관심과 사랑을 가지고 주위 사람들에게 공감하고 배려하려 애썼다. 피천득은 기억 속에서 과거의 빛나는 순간을 찾아내고 작은 인연이라도 소중히 여기고 가꾸면서 살았다.

나아가 그는 언제나 커다란 자연 속에서 자신의 삶과 문학을 조화시키고 이끌어 가려고 노력했다. 여기서 피천득 문학의 '보편성'이 제기된다. 피천득의 수필집 《인연》이 2005년과 2006년 각각 일본과 러시아에서 번역 소개되었는데, 일본어와 러시아어 번역자는 자국 독자들에게 쉽게 다가갈 수 있는 피천득 수필의 보편성을 언급하였다. 피천득 문학이 더 많은 외국어로 번역 소개된다면 그 보편성은 더욱더 확대될 것이다. 무엇보다도 황폐한 시대와 역사를 위한 피천득 문학의 역할은 치유와 회복의 기능이리라.

결국, 피천득 문학의 궁극적 가치는 무엇인가? 그것은 무엇보다도 그의 시, 수필, 산문, 번역에 풍부하게 편재해 있는 '인간성'에 관한 통찰력에서 오는 보편성 또는 일반성일 것이다. 위대한 문학은 생명공동체인 지구에서 함께 살아가는 인간과 자연 속에서 시간과 장소를 초월하는 일상적 삶의 '구체적 보편성'을 재현하는 것이기 때문이다. 피천득 문학은 이 보편적 인간성 위에 새로운 문화 윤리로 살과 피로 만들어진 인간에 대한 '사랑'(피천득의 '정'이 확대된 개념)을 내세운다. 이러한 소시민적 삶의 보편성은 그의 일상적 삶 속에 스며들어 피천득은 스스로 선택한 가난 속에서 살아가며 계절마다 항상 꽃, 새, 나무, 바다, 하늘, 별 등에 이끌려 살아가려고 노력했다. 피천득의 사랑의 철학은 석가모니의 '대자대비'(大慈大悲), 공자의 '인'(仁), 예수의 '사랑'에서 나온 것이리라. 피천득 문학을 통해 우리는 일상생활에서 사랑을 역동적으로 실천하고 작동시킬 수 있는 추동력을 얻어야 할 것이다.

흔히 피천득은 작고 아름다운 시와 수필을 쓰는 고아하고 조용한 작가로 여겨지고, 격변의 역사를 살았던 그의 문학에 역사의식이나 정치의식이 부족함을 지적받기도 하였다. 한 작가에게 모든 것을 요구할 수는 없겠지만 피천득의 초기 작품부터 꼼꼼히 읽어보면 "조용한 열정"이 느껴진다. 1930년대 《신동아》에 실렸던 시 〈상해 1930〉과 특히 시 〈불을 질러라〉는 과격할 정도이고, 1990년대에 쓴 시 〈그들〉도 치열한 인류 문명과 역사비판이다. 그러므로 우리는 금아 문학을 순수한 서정성에만 가두지 말고 본인이 선언한 일종의 "소극적 저항"을 제대로 짚어내야 한다. 결단코 모국어 사랑, 민족, 애국심을 잃지 않았던 피천득을 균형 있게 이해하고 평가하려면 정치적 무의식을 염두에 두고 피천득 다시 읽기와 새로 쓰기를 위한 일종의 "대화적 상상력"이 필요할 것이다.

오늘날 피천득 문학은 문단과 학계에서 어떤 평가를 받고 있는 가? 피천득의 일부 수필과 번역이 1960년대, 70년대에 국정교과서에 실리기 시작했고 1990년대부터 수필이 대중문학 장르로 부상하면서 피천득 수필의 인기는 "국민 수필가"라고 불릴 정도로 한때 매우 뜨거 웠다. 그러나 문단과 학계에서는 타계한 지 15년이 가까워져 오는데 도 피천득에 대해 합당한 문학사적 평가가 이루어지지 않는 듯하다.

그렇다면 저평가의 이유가 무엇일까? 피천득은 술, 담배, 커피를 못하기 때문인지 일체의 문단 활동이나 동인지 운동 등 소위 문단 정 치에 참여하지 않았다. 그는 대한민국 예술원 회원 추천도 완강하게 거절하였다. 그를 작가로서 끌어주고 담론화하는 문단 동료나 국문 학계 제자가 없는 것이나. 또 다른 이유라면 그가 써낸 작품 수가 매 우 적다는 사실이다. 고작해야 시집 1권, 수필집 1권뿐이니 논의하고 연구할 것이 부족하다고 느끼는 것일까? 나아가 장르 순수주의를 높 이 평가하는 우리 문단과 학계의 풍토에서 한 장르 전업 작가가 아니 고 일생 영문학 교수로 지내며 시, 수필, 산문, 번역의 여러 장르 창작 에 종사하였기에 논외로 던져진 것은 아닌지 모르겠다. 그러나 전통 학계에서 아직도 시, 소설 등의 주요 장르와 대비되는 주변부 장르이 기 때문인지 그가 이름을 올린 수필 장르에서도 피천득은 진지하게 논의되고 있지 못하다. 이번 일곱 권의 피천득 문학전집 간행을 계기 로 이러한 무지와 오해와 편견이 해소되어 피천득이 한국 현대 문단 사와 문학사에서 온전하고 합당한 평가를 받게 되기 바란다.

올해 2022년은 영문학 교수로 지내며 시인, 수필가, 산문가, 번역가로 활동한 금아 피천득 선생이 태어난 지 112년, 타계한 지 15년이 되는 해다. 지금까지 출간된 그의 작품집은 번역까지 포함하여 선별되어 나온 4권뿐이다. 이 작품집들은 일반 대중 독자들에게 많은 사랑을 받아왔으나 고급독자와 연구자들에게는 아쉬움이 많다. 초기에 발표했던 신문, 잡지에서 새로이 발굴된 미수록 작품 다수가 수록되지 않았기 때문이다. 한 작가에 대한 온전한 논의와 연구를 위해 그 선행작업으로 그 작가의 전체작품이 들어있는 정본 결정판이 반드시 마련되어야 하는데 피천득의 경우 아직 마땅한 전집이 없다. 이에 편집자는 전 7권의 피천득 문학 전집을 구상하게 되었다.

편집자는 피천득 탄생 100주년인 2010년부터 10여 년간 피천득 문학 전집을 준비해왔다. 기존의 시집, 수필집, 셰익스피어 소네트집, 번역시집 4권의 작품집에 미수록된 작품들과 새로 발굴된 작품들을 추가했으며, 산문집, 영미 단편 소설집과 《셰익스피어 이야기》를 새로 추가했다. 이 7권의 피천득 문학 전집이 완벽한 결정판 정본(定本, Definitive Edition)은 아니지만 우선 피천득 문학의 전체 모습을 수립하는 데 도움이 되기를 바란다. 이것은 시작이고, 이번 전집은 디딤돌과 마중물에 불과하다. 이 전집은 의도하지 않은 오류가 있을 수 있다. 이 모든 잘못의 책임은 전적으로 편집자인 나에게 있다. 이후에 후학들에 의해 완벽한 결정판 전집이 나오기를 고대한다.

이제 《피천득 문학 전집》(전7권) 각 권의 내용을 대략 소개한다.

제1권은 시 모음집이다. 1926년 첫 시조 〈가을비〉와 1930년 4월 7일 《동아일보》에 실린 첫 시 〈찾음〉을 필두로 초기 시를 다수 포함하였다. 그리고 지금까지 나와 있는 시집들과 다르게 모든 시를 가능한 발표연대 순으로 배열하였다. 창작시기와 주제를 감안하여 시집의 구성을 1930년대에서 2000년대까지 총 8부로 나누어 묶었다. 이전 시집에 실려있지 않은 일부 미수록 시들 중에는 작품의 질이 문제되는 경우가 있다. 시 창작이 가장 활발했던 1930년대는 아기와 어린이 시, 동물시, 사랑의 시(18편), 번역 개작시(改作詩) 부분을 별도로 구성하였다. 피천득이 특이하게도 에드먼드 스펜서의 소네트 2편과 셰익스피어 소네트 154편 중 6편을 짧은 자유시와 시조체로 번안, 개작한 것도 창작으로 간주하여 이 시집에 실었다. 그것은 피천득의 이런 개작 작업이 단순한 번역 작업이기보다 개작을 통해 원문을 변신시킨 문학 행위로 '창작'이기 때문이다. 이런 노력은 서양의 소네트 형 시을 한국시 전통과 질서로 재창조한 참신한 시도로 여겨진다. 이로써 일반독자나 연구자 모두 피천득 시 세계의 확장된 지형(地形)을 알 수 있을 것이다.

제2권은 수필 모음집이다. 기존의 수필집과 달리 본 수필집 역시 앞의 시집처럼 연대와 주제를 고려하여 크게 3부로 나누었다. 이 수필집에는 지금까지 미수록된 수필을 발굴해 실었다. 피천득은 흔히 수필을 시보다 훨씬 나중에 쓴 것으로 알려져 있으나 사실 그는 초기부터 수필과 시를 거의 동시에 창작하였다. 피천득은 엄격한 장르 개념을 넘어 시와 수필을 같은 서정문학으로 보았다. 예를 들어 어떤 수필은 행 갈이를 하면 한 편의 시가 되고, 어느 시는 행을 연결하면 아주 짧은 수필이 된다. 피천득 수필문학의 정수는 한 마디로 '서정성'이다.

제3권은 넓은 의미의 산문 모음집이다. 이 산문집에는 수필 장르로 분류되기 어려운 글과 동화, 서평, 발문, 추천사 그리고 상당수의 평설과 긴 학술논문도 일부 발췌하여 실었다. 여기서도 모든 산문 작품을 일단 장르별로 분류한 다음 발표 연대순으로 실어 일반독자나 연구자들이 일목요연하게 피천득의 산문 세계를 볼 수 있게 했다. 여기 실린 글 대부분이 거의 처음 단행본으로 묶였으므로 독자들에게 피천득의 새로운 산문 세계를 크게 열어 주리라 믿는다.

제4권은 외국시 한역시집인 동시에 한국시 영역시집이다. 피천득은 영미시 뿐 아니라 중국 고전시, 인도와 일본 현대시도 일부 번역하였다. 특히 이 번역집에는 기존의 번역시집과 달리 피천득의 한국시 영역이 포함되었다. 피천득은 1950, 60년대에 자작시 영역뿐 아니라 정철, 황진이의 고전 시조, 한용운, 김소월, 윤동주, 서정주, 박목월, 김남조 등의 시도 영역하여 한국문학 세계화의 역할을 담당했다. 이 부분은 문단과 학계에 거의 처음으로 공개되는 셈이다. 한역이건 영역이건 피천득의 번역 작업은 한국현대문학 번역사에서 하나의 전범이자 시금석이 되고 있다.

제5권은 셰익스피어 소네트 번역집이다. 피천득은 1954~55년 1년간 하버드대 교환교수 시절부터 60년대 초까지 셰익스피어 소네트 154편 전편 번역에 매진하였다. 그 결과 그의 소네트 번역집은 셰익스피어 서거 400주년이 되는 1964년 출간된 셰익스피어 전집(정음사) 4권에 수록되었고, 훗날 단행본으로 출간되었다. 역자 피천득이 직접 쓴 셰익스피어론, 소네트론, 그리고 소네트와 우리 전통 정형시 시조

(時調)를 비교하는 글까지 모두 실었다. 이 번역시집은 일생 셰익스피어를 사랑하고 존경했던 영시 전공자 피천득의 능력이 충분히 발휘된 노작이며 걸작이다. 독자들의 편의를 위해 소네트 영문 텍스트를 행수까지 표시하여 번역문과 나란히 실었다.

제6권은 외국 단편소설 6편의 번역집이다. 이 단편소설 번역은 해방 전후 주로 어린이들과 청소년을 위한 것으로, 피천득은 일제강점 초기부터 특히 어린이 교육에 관심이 높았다. 피천득은 새로운 근대민족 국가를 이끌어갈 어린이들을 제대로 가르치는 일, 특히 문학으로 상상력 함양교육을 강조했다. 1908년 최남선의 한국 최초 잡지 《소년》이 창간되었고, 1920년대부터 소파 방정환의 글을 비롯해 많은 문인이 아동문학에 참여하였다. 이 6편 중 알퐁스 도데의 〈마지막 수업〉과 〈큰 바위 얼굴〉은 개역되어 국정 국어 교과서에 실렸다. 독자들의 편의를 위해 일부 단편소설의 시양어 원문 텍스트를 부록으로 실었다.

제7권은 19세기 초 수필가 찰스 램과 메리 램이 어린이들을 위해 쓴 《셰익스피어 이야기들》의 번역집이다. 램 남매는 셰익스피어의 극 38편 중 사극을 제외하고 20편만 골라 이야기 형식으로 축약, 각색, 개작하여 *Tales from Shakespeare*(1807)를 펴냈다. 피천득은 1945년 해방 직후 경성대 예과 영문학과 교수로 부임한 뒤 어렵지 않은 이 책을 영어교재로 택했고, 그후 서울 시내 대학의 영어교재로 이 책이 많이 채택되었다고 한다. 피천득은 이 책을 영어교재로 가르치면서 틈틈이 번역하여 1957년 단행본으로 출간하였는데, 기이하게도 이 번역본을 아무도 주목하지 않았다. 그동안 별로 알려지지 않았던 번역 문학자 피천득의 위상을 이 번역본이 다시 밝혀주는 계기가 되기를 기대한다. 번역본의 작품배열 순서가 원서와 약간 다르나 역자 피천득의 의도를 존중해 그대로 두었다. 또한 번역문은 현대어법에 맞게 일부 수정하였음을 밝힌다.

각권마다 끝부분에 비교적 상세한 '작품 해설'을 달았다. 피천득을 처음 읽는 독자들에게 도움이 되었으면 좋겠다.

지난 수십 년 동안 편집자가 금아 피천득을 계속 읽고 꾸준히 글을 쓰는 것은 나 자신을 갱신하고 변신시키기 위함이었다. 나는 금아 선생을 사랑하고 존경하는 대학 제자이고 애독자지만 금아 선생을 닮은 구석이 하나도 없어 항상 부끄럽다. 주로 학술 논문만을 써온 나는 단순하지 않고 복잡하고 여유도 모르고 바쁜 삶을 살아왔다. 글도 만연체라 재미없고 길기만 하다. 나의 어지러운 삶과 둔탁한 글에 금아 선생은 해독제(antidote)이다. 정면교사이신 금아 선생의 순수한 삶과 서정적 글을 통해 방만한 나의 삶과 복잡한 나의 글을 정화해 거듭나고 변신하고 싶다. 이번 금아 피천득 문학 전집(전 7권)을 준비해온 지난 십수 년은 내가 닮고 싶은 피천득의 길로 들어가는 "좁은 문"을 위한 하나의 단계에 불과하다. 앞으로 여러 단계를 거친다면 금아 피천득의 삶과 문학의 세계로 조금이라도 다가갈 수 있을까?

이 책을 준비하는데 많은 분들의 도움이 있었다. 우선 금아피천득선생기념사업회의 일부 재정지원이 있었다. 변주선 전 회장, 조중행 회장, 그리고 피천득 선생의 차남 피수영 박사, 수필가 이창국 교수의 실질적 도움과 끊임없는 격려가 없었다면 이 전집은 출간되지 못했을 것이다. 또한 이 전집을 위해 판권을 흔쾌히 허락해주신 민음사(주)에도 고개 숙여 감사드린다. 최종적으로 출간을 맡아주신 지난 날 피천득 선생님과 친분이 두터우셨던 범우사 윤형두 회장을 비롯해 윤재민 사장, 김영석 실장, 신윤정 기자 그리고 윤실, 김혜원 선생에게 큰 고마움을 전한다.

그리고 마지막 단계에서 피천득문학전집 간행위원회에서 출판 후원금 모금 등 열성적으로 도움을 베풀어주신 변주선 위원장님, 서울대 영어교육과 동창회장 김선웅 교수와 영어교육과 안현기 교수, 그리고 총무 최성희 교수에게 깊은 감사를 드린다.

끝으로 물심양면으로 헌신하시는 금아피천득선생기념사업회의 초대 사무총장 구대회 선생과 현 사무총장 김진모 선생님께도 뜨거운 인사 드린다. 아울러 이 전집 발간을 위해 기꺼이 기부금을 희사하신 많은 후원자님들께도 큰 절을 올린다.

지난 십여 년간 이 전집을 위해 자료 수집과 입력 등으로 중앙대 송은영, 정일수, 이병석, 허예진, 김동건, 권민규가 많이 애썼다. 그리고 지난 10여 년 간 아내의 조용하지만 뜨거운 성원도 큰 힘이 되었다.

많이 늦었지만 이제야 전 7권의 문학 전집을 영원한 스승 금아 피천득 선생님 영전에 올려드리게 되어 송구할 뿐이다.

피천득 선생 서거 15주기를 맞아
2022년 5월
남산이 보이는 상도동 우거에서
편집자 정정호 삼가

제 사

진정한 시인은, 가진 것이 많은 사람의 편,
권력을 가진 사람의 편에 서는 것이 아닙니다.
진정으로 위대한 시인은 가난하고 그늘진 자의 편에 서야 하고
그런 삶을 마다하지 않아야 합니다.

차례

제1부 : 영미시 한역

1. 영국시

에드먼드 스펜서

윌리엄 셰익스피어

제2부 : 동양시 한역

제3부 : 한국시 영역

3. 자작시 영역

시와 함께한 나의 문학인생

8년 전쯤인 1997년, 나는 평소 틈틈이 번역해놓았던 외국의 시들을 묶어서 《내가 사랑하는 시》라는 제목의 번역시집을 펴냈습니다. 그 책에 실린 외국의 시들은 평소에 내가 좋아해서 즐겨 애송하는 시편들입니다. 재미 삼아 그 시들을 한 편 한 편 우리말로 옮겨보았을 뿐이지 번역시집을 펴내겠다는 의도를 애초부터 가지고 있었던 것은 아닙니다.

내가 왜 외국의 시를 번역했는지 궁금해할 독자들이 있을 것 같아서 말하는데 그 이유는 단순합니다. 내가 좋아하는 외국의 시를 보다 많은 우리나라의 독자들과 함께 나누고 싶었기 때문입니다. 내가 시를 번역하면서 가장 염두에 두었던 것은 시인이 시에 담아둔 본래의 의미를 훼손하지 않으면서, 마치 우리나라 시를 읽는 것처럼 자연스러운 느낌이 드는 번역을 하자는 것이었습니다. 사실 다른 나라 말로 쓰인 시를 완전하게 옮긴다는 것은 불가능한 일입니다. 시에는 그 나라 언어만이 가지고 있는 고유의 감성과 정서가 담겨 있기 때문입니다. 외국어에 능통해서 외국의 시를 원문 그대로 감상할 수 있다면 가장 좋겠지만 현실적으로 그럴 수 있는 독자는 얼마 되지 않습니다. 그래서 내가 쉽고 재미있게 번역을 해보자는 생각을 하게 됐습니다. 이제 그 번역시집의 개정판을 낸다고 하니 감회가 새롭습니다. 그래서 이 계제에 몇 가지 시에 대해서 내가 가지고 있는 생각들을 보태보려고 합니다.

나는 열다섯 살 무렵부터 일본 시인의 시들 그리고 일본어로 번역된 영국과 유럽의 시들을 읽고 시에 심취했습니다. 좀 세월이 흘러서는 김소월, 이육사, 정지용 등 우리나라 시인들의 시를 애송했습니다. 말하자면 시에 대한 사랑이 내 문학인생의 출발이었던 셈입니다. 대학에서 영문학을 공부하게 된 것도, 실은 영국 시인들의 시 작품을 제대로 감상하고 싶었기 때문입니다. 영국은 알다시피 시를 숭상하는 나라입니다. 세계에서 영국만큼 시를 숭상하고 시인을 우대하는 나라도 없을 겁니다. 영국에서 위대한 시인들이 많이 나온 것도 다 그 때문입니다. 셰익스피어를 두고 인도와도 바꾸지 않겠다고 말한 것만 보아도 그들이 시인을 어떻게 생각하는지 알 수 있을 겁니다. 어떤 사람은 또 이런 말을 하기도 했습니다. "다른 그 어떤 이유도 아닌, 오직 셰익스피어를 제대로 이해하기 위해서라도 영어는 익혀둘 만한 언어다"라고. 이 얼마나 도저한 찬사입니까. 나는 영문학을 공부해서 많은 시들을 읽고 싶었습니다. 그리고 나 자신 시인이 되고 싶었고, 직접 시를 쓰기도 했습니다. 그런데 독자들이 내가 쓴 수필과 산문을 많이 사랑하게 되면서 내가 쓴 시들이 그것에 가려진 듯한 느낌이 듭니다.

사실 나에게 있어 수필과 시는 같은 것입니다. 어떤 사람들은 내가 쓴 수필을 보고 사회성이나 철학성이 부족하다는 지적을 하기도

했는데, 그것은 일견 맞는 말이면서 틀린 말이기도 합니다. 왜냐하면 사회성이나 철학성을 담는 것은 수필이 아닌 다른 장르, 이를테면 비평의 분야라고 믿고 있기 때문입니다. 사실 순수한 서정이 담긴 글과 사회성이 깃든 글은 서로 상치하는 게 아니라 우리 사회에 모두 필요한 것들입니다.

내가 시와 수필에서 가장 중요하게 생각하는 것은 순수한 동심과 맑고 고매한 서정성, 그리고 위대한 정신세계입니다. 특히 서정성은 세월이 아무리 흘러도 변하지 않는 것입니다. 나는 시와 수필의 본령은 그런 서정성을 창조하는 데 있다고 생각합니다. 그래서 나는 수필도 시처럼 쓰고 싶었습니다. 맑은 서정성과 고매한 정신세계를 내 글 속에 담고 싶었습니다. 나는 글을 쓰면서 늘 그 경지를 지향했지만, 지금 생각해보면 그 경지에는 이르지 못하고 지금 여기에 이른 것 같습니다.

이 책에 실린 시인들은 하나같이 올바른 시인의 자세를 보여준 사람들입니다. 그들은 맑고 순수한 동심을 가진 사람들이고, 또 그 어떤 현실이 속리와도 결탁하지 않고 시인의 자존심을 지킨 사람들입니다. 그들은 내가 생각하는 시인의 이상을 현실에서 구현한 사람들입니다. 그래서 나는 그들을 흠모했습니다. 영국의 시인 키츠가 살던 집에 가본 적이 있는데, 낡은 책상과 침대 외엔 별다른 가구가 없었습니다. 그는 평생을 그렇게 빈한하게 살다가 갔습니다. 하지만 그는 자신의 안위를 위해 시인의 자존심을 팔지 않았습니다. 이 얼마나 고결한 정신입니까.

우리나라에도 시인이 참 많은데, 난 그들에게 이런 말을 들려주고 싶습니다. 시인에게 가장 중요한 것은 다름 아닌 '자존심'이라고 말입니다. 자신이 가지고 있는 모든 것은 다 버려도 자존심은 절대로 버리면 안 됩니다. 그게 시인의 자세입니다. 이 자존심은 시인으로서의 자신을 긍정하고 현실 앞에서 고고함을 지키는 것을 의미합니다. 하지만 불행하게도 우리나라의 시인들 중에는 권력 앞에 굴종하고 위정자들에게 의탁한 시인들이 있습니다. 이익을 바라서 순정을 파는 것은 시인의 도리가 아닙니다. 이미 그는 시인된 자가 아닙니다. 그런 이들에게 현란한 말재주는 있을지 몰라도 시인으로서의 자존심은 없기에 그들은 시인이라고 말할 수 없습니다. 진정한 시인은, 가진 것이 많은 사람의 편, 권력을 가진 사람의 편에 서는 것이 아닙니다. 진정으로 위대한 시인은 가난하고 그늘진 자의 편에 서야 하고 그런 삶을 마다하지 않아야 합니다.

사실, 나는 안정적인 삶을 살아왔습니다. 글을 써서 이름도 얻었고 대학교수도 했습니다. 그런데 나는 이런 사실이 너무도 송구스럽습니다. 나는 이런 것을 얻기 위해 별다른 노력을 하지 않았는데, 다만 운이 좋아서 이런 것들이 주어진 것 같습니다. 나는 시를 쓰면서도 안정 속에 들어 있는 내 삶이 한없이 송구스럽습니다.

이 책 속에는 유럽 시인의 시도 있고, 일본, 중국, 인도 시인의 시도 들어 있습니다. 사실 높은 차원의 시는 동서를 막론하고 엇비슷합니다. 모두가 순수한 동심과 고결한 정신, 그리고 맑은 서정을 가지고 있으니까 말입니다. 요즘은 과거에 비해 사람들이 시를 많이 읽지 않습니다. 큰 서점을 빼고는 시집을 파는 서가 자체가 없는 서점들이 많다고 들었습니다. 요즘의 시대가 먹고 사는 게 너무나 힘들고 경쟁이 치열하기 때문이라는 생각이 들기도 합니다. 남을 누르고 이겨야 살 수 있는 세계에서 시는 사실 잘 읽히지 않습니다. 하지만 이럴수록 오히려 시를 가까이 두고 읽어야 할 필요가 있습니다. 시는 영혼의 가장 좋은 양식이고 교육입니다. 시를 읽으면 마음이 맑아지고 영혼이 정갈해집니다. 이것은 마른 나무에서 꽃이 피는 것과 같은 일입니다.

개정판으로 다시 펴내는 이 책 속의 시인들은 아이들의 영혼으로 삶과 사물을 바라본 이들입니다. 그들의 시를 통해서 나는 독자들이 순수한 동심만이 세상에 희망의 빛을 선사할 수 있다는 믿음을 가질 수 있었으면 좋겠습니다.

(2005)

화 보

금아 피천득

맨 윗줄 왼쪽부터 워즈워스, 테니슨, 로제티,
둘째줄 왼쪽부터 디킨슨, 예이츠, 프로스트, 셋째줄 왼쪽부터 도연명, 두보, 아키코,
맨 아랫줄 왼쪽부터 타고르, 한용운, 윤동주.

I Cannot Understand

by Han Yong Wun
Translated by Pi Chyun Deuk

Whose footsteps are the paulownia leaves
That fall soundlessly drawing after them perpendicular
Ripples in the still air?

Whose face is the blue sky that glances
Through the gaps of the black clouds driven
By the west wind after a long tedinous rain?

Whose breath is the incomprehensible fragrance
That comes through the azure moss
Of the blossomless dark trees and touches
The tranquil sky along the ancient tower?

Whose song is the brook that flow sand curves,
Coming from an unknoun source and
Making the stones murmur?

Whose poem is the evening glow decorating the day
That descends walking over the boundless sea
With her feet like lotus flowers and caressing the sky
With her gemlike hands?

The remaininog ashes change into oil again and
My heart does not cease to burn——
For whose night does the faint lamp keep vigils?

알 수 없어요

韓 龍 雲

바람도 없는 공중에 垂直의 波紋을 내이며 고요히 떨어지
는 오동잎은 누구의 발자취입니까.
지리한 장마 끝에 서풍에 몰려가는 무서운 검은 구름의 터
진 틈으로 언뜻언뜻 보이는 푸른 하늘은 누구의 얼굴입
니까.
꽃도 없는 깊은 나무에 푸른 이끼를 거쳐서 옛塔 위에 고
요한 하늘을 스치는 알수 없는 香氣는 누구의 입김입니까
근원을 알지도 못할 곳에서 나서 돌뿌리를 울리고 가늘게
흐르는 작은 시내는 구비 구비 누구의 노래입니까.
연꽃 같은 발꿈치로 가이 없는 바다를 밟고 옥 같은 손으
로 끝없는 하늘을 만지면서 떨어지는 날은 금게 단장하
는 저녁 놀은 누구의 詩입니까.
타고 남은 재가 다시 기름이 됩니다.
그칠 줄을 모르고 타는 나의 가슴은 누구의 밤을 지키는
약한 등불입니까.

(231)

피천득이 만해, 소월, 동주, 목월 등의 시와 김상옥 등의 시조를
영역한 것이 실린 1970년에 간행된 《Modern Korean Poetry》의 표지

피천득의 첫 번역시집
《삶의 노래 : 내가 사랑한 시 · 내가 사랑한 시인》(동학사, 1994) 표지

피천득 번역시집《내가 사랑하는 시》(샘터, 1996) 표지

제1부
영미 시 한역

1. 영국시

사랑은 무슨 힘이기에[*]
— 소네트집 〈아모레티〉 30번에서

에드먼드 스펜서

임은 얼음이요
이 마음은 불이로다

불 더울수록
얼음 더욱 굳어지요

얼음 차질수록
불은 더욱 뜨거워라

사랑은 무슨 힘이기에
천성조차 바꾸는고

---

[*] 소네트 30번 개작 번역

숨가쁜 사냥꾼이[*]
— 소네트집 〈아모레티〉 67번에서

에드먼드 스펜서

숨가쁜 사냥꾼이
그늘에서 쉬노라니

사슴 물을 찾아
시냇가로 내려오다

떠는 손이 만지어도
태연스레 쳐다보네

이상타 제풀로 돌아와
쉽사리 잡히는고

---

[*] 소네트 67번 개작 번역

〈폭풍우〉에서

윌리엄 셰익스피어

다섯 길도 더 깊은 바다 밑에 그대의 아버지 누워계신다.
그의 뼈는 산호로 변했고
본래 그의 눈들은 진주가 되었네.
그의 몸은 하나도 슬어 없어지지 않고,
단지 바닷속에서 변화를 입어서
그 어떤 값지고도 이상스런 물건들이 되어 버렸네.
바다 선녀들은 그대 아버지를 위한 조종을 울리니
들으라! 나는 지금 종소리를 듣는다, 땡, 땡, 종소리.

(1막 2장 397~404 행, 에어리얼의 노래)

〈폭풍우〉에서

윌리엄 셰익스피어

벌들이 꿀을 빠는 곳에, 이내 몸도 꿀을 빨리니
종같이 생긴 초롱꽃에 내 몸을 눕히고
거기서 나는 잠을 자리. 부엉이가 울 때에,
박쥐 등에 올라타고 나는 날아다니며
한여름을 즐겁게 보내리라.
즐겁게, 즐겁게, 이제부터 나는 살아가겠네
나뭇가지에 달린 꽃송이 아래에서.

(5막 1장 88~95행, 에어리얼의 노래)

〈한여름 밤의 꿈〉에서

윌리엄 셰익스피어

혀가 둘씩 달린 얼룩덜룩 얼룩 뱀,
가시 돋친 고슴도치, 모두 다 보지 말아 다오.
벌레도 떠들지 말라.
누구나 다 우리 선녀 왕 계신 곳에 가까이 오지 마라.
멜로디 아름다운 밤새야, 너는 이리 와
달콤한 자장가를 불러라.
자장 자장 자장, 자장 자장 자장!
우리 여왕님 상처 내지 말고,
혼미(混迷)시키지 말고,
요술에 걸지 말고,
못된 것들은 우리 사랑스런 여왕님 곁에 가까이 오지 마라.
주무세요, 안녕히 주무세요, 자장가 노래 소리 들으면서.

(4장 9~19행, 첫째 요정의 노래)

〈리어 왕〉에서

월리엄 셰익스피어

오, 두 딸들아!
너희의 뺨에는 갑자기 기쁨의 눈물이 흘러내리고,
왕은 슬퍼서 노래를 부르도다.
아무튼 이러한 왕이 숨기 내기를 하면서,
바보들 틈 사이로 돌아다니니!

(4장 145~148행, 바보 광대의 노래)

〈리어 왕〉에서

월리엄 셰익스피어

왜소하고 가느다란 지능을 가진 자
바람비와 씨름하여 무엇하리
비는 매일 매일 내리지만
운명 좇아서 만족을 찾게나

(9장 70~73행, 바보 광대의 노래)

〈열두 번째 밤, 혹은 당신 마음대로〉

윌리엄 셰익스피어

이리 오라, 이리 와, 죽음아 와서 그 구슬픈 전나무 그늘에
　　나를 눕혀 다오.
날아 없어져라, 날아 없어져, 숨결아, 아름다우나
　　잔인한 처녀 손에 나는 죽었는데
내가 입을 흰 수의는 송진이 묻어 온통 더럽혔으니,
　　아! 준비해 두라.
이 내 몸처럼 죽음을 참으로 나눈 사람은 다시없나니.

꽃 한 송이, 향내 나는 꽃 한 송이도 던지지 말라.
　　내 검정 관 위에
한 사람의 친구도, 한 사람도, 뼈밖에 남지 않을
　　내 시체를 보러 오지 말아요.
천 번, 만 번 한숨을 아끼도록 슬프고도 참된 애인이
　　영영 찾을 수 없는 곳에,
나를 묻어 다오, 오, 그곳에, 나 혼자 무덤 속에서 울기나 하게.

　　　　　　　　　　　　　　　　　(2막 4장 49~64행, 광대의 노래)

내 처지 부끄러워*

월리엄 셰익스피어

내 처지 부끄러워
헛된 한숨 지어보고

남의 복 시기하여
혼자 슬퍼하다가도

문득 너를 생각하면
노고지리 되는고야

첫새벽 하늘을 솟는 새
임금인들 부러우리

---

* 셰익스피어 소네트 29번 개작 번역

그대를 두고 가지 않는다면[*]

윌리엄 셰익스피어

찬란한 명예들이
돈에 팔려 주어질 때

예술이 권력 앞에서
벙어리가 되었을 때

바보가 박사인 양
기술자를 통제할 때

이 세상 떠나고 싶다
그대를 두고 가지 않는다면

---

* 셰익스피어 소네트 66번 개작 번역

늦은 계절[*]

윌리엄 셰익스피어

앙상한 가지들은
폐허가 된 성가대석(聖歌隊席)

밤 오면 어두울 황혼
재 위에 남은 불빛

그대 나에게서
늦은 계절 들여다보고

어느덧 두고 갈 것을
더욱 사랑하라

---

[*] 셰익스피어 소네트 73번 개작 번역

미(美)는 이미 졌느니*

윌리엄 셰익스피어

지금도 그대 젊음
예전같이 고운지고

세 번 사월 향기
유월 볕에 세 번 타다

머문 듯 가는 것을
내 눈이라 속는 것이

들으라 후세 사람아
미美는 이미 졌느니

---

* 셰익스피어 소네트 104번 개작 번역

머문 듯 가는 젊음을[*]

윌리엄 셰익스피어

지금도 그때 젊음 예전같이 고운지고
세 번 사월 향기 유월 볕에 세 번 타다
머문 듯 가는 젊음을 내 눈이라 속았느니

(1977)

---

[*] 셰익스피어 소네트 104번을 시조(時調)로 개작 번역함.

사랑만은 견디느니[*]

윌리엄 셰익스피어

변화에 변심 않고
사랑만은 견디느니

폭풍이 몰아쳐도
사랑만은 견디느니

입술빛 퇴색해도
사랑만은 견디느니

이 생각 틀렸다면
사랑하지 않으리

---

[*] 셰익스피어 소네트 116번 개작 번역

천사도 아니지만*

윌리엄 셰익스피어

백설이 희다면은
그의 살갗 검은 편이

그 입술 붉지마는
산호 같다 하오리오

땅 위를 걷는 그는
천사도 아니지만

거짓들 견주어 보는
누구보다 고와라

---

* 셰익스피어 소네트 130번 개작 번역

〈촌락 교회 묘지에서 쓴 만가〉에서

토머스 그레이

가문의 자랑도 권세의 호강도
미(美)와 부(富)가 가져다 준 모든 것들이
다 같이 피지 못할 시각을 기다리고 있다.
영화(榮華)의 길은 무덤으로만 뻗어 있다.

대양(大洋)의 이둡고 깊은 동굴은
순결하고 맑은 보석을 지니고
많은 꽃들이 숨어서 피었다가는
그 향기를 황야(荒野) 바람에 날려 버린다.

《천진의 노래》── 서시(序詩)

월리엄 블레이크

산골짜기 아래로 피리를 불며
기쁜 노래의 피리를 불며
구름 위의 아이를 나는 보았습니다
아이는 깔깔대며 말했습니다

"양(羊)에 대한 노래를 피리 불어요"
그래 나는 기쁜 곡조로 피리 불었습니다
"피리 아저씨, 그 노래 다시 불어요"
그래서 나는 피리 불었습니다
아이는 들으면서 울었습니다

"피리 놓고 기쁜 피리 놓고
기쁜 노래로 불어요"
그래 나는 같은 노래를 불렀습니다
아이는 울면서 기뻐했습니다

"피리 아저씨, 거기 앉아서
책에 그 노래를 쓰세요, 모두 다 읽을 수 있게"

그리곤 아이는 사라졌습니다
그래서 나는 속 빈 갈대를 꺾었습니다

나는 거친 펜을 만들어
맑은 물을 적셨습니다
그리고 나의 기쁜 노래를 적었습니다
모든 아이들이 기쁘게 듣도록

《천진의 노래》— 유모의 노래

윌리엄 블레이크

아이들의 소리가 잔디 위에서 들리고
웃음소리가 언덕에 들릴 때
내 심장은 내 가슴 속에서 쉬고
모든 것이 고요합니다

"이제 집에 가자, 애들아, 해가 졌다
그리고 밤이슬이 맺힌다
어서 어서, 장난은 그만두고 가자
아침이 하늘에 올 때까지"

"아니야 아니야, 더 놀아, 아직도 낮이야
우리는 자러 가지 않을 거야
하늘에는 작은 새들이 날고
그리고 언덕에는 양 떼들이 놀고 있는데"

"그래 그래, 가서 놀아라, 햇빛이 스러질 때까지
그리고 그 때 가자"
아이들은 뛰며 소리치며 깔깔댔습니다
그리고 모든 언덕이 메아리쳤습니다

《천진의 노래》— 양(羊)

윌리엄 블레이크

작은 양아, 누가 너를 만드셨니?
누가 너를 만드셨는지 너는 아니?

너에게 생명을 주시고
시냇가에서, 들에서 너를 먹이시고
반짝이는 가장 보드라운 옷을 입히시고
모든 골짜기를 기쁘게 하는
그리도 연하고 고운 목소리를 너에게
주신 분이 누구신지 너는 아니?
작은 양아, 누가 너를 만드셨니?
누가 너를 만드셨는지 너는 아니?

작은 양아, 내가 알려 주마
작은 양아, 내가 알려 주마

그분은 네 이름과 같으시다
그분은 자신을 양이라고 부르신다
그분은 유순하고 온화하시다

그분은 작은 아가였다
나는 아가 그리고 너는 양
우리는 그분의 이름으로 불린다

작은 양아, 하느님의 축복을!
작은 양아, 하느님의 축복을!

〈틴턴 사원 수 마일 상류에서 읊은 시〉에서

윌리엄 워즈워스

그 시절은 갔다.
짜릿짜릿한 기쁨도
아찔아찔한 환희도 다 사라졌다.
이 때문에 나는 실망 않으리, 슬퍼 않으리, 불평 아니하리.
다른 은혜가 뒤따랐다. 내가 믿기엔 잃어버린 것에 대한 충분한
보상이어늘
왜냐하면 분별없는 어린 시절과는 달리 나는 자연을 보는 법을
배웠노라.
인생의 고요하고 슬픈 음악을 듣고

자연은 결코 자기를 사랑하는 마음을 배반하지 아니한다.

(83~91행, 122~123행)

〈유년시대를 추상하여 불멸을 아는 송가〉에서

윌리엄 워즈워스

한때는 목장 숲 시대
대지 그리고 눈에 보이는 모든 것들이
천국의 빛으로 싸여
꿈의 광영과 청신을 지니었었다
그러나 지금은 예전과 달라
밤이건 낮이긴
어디를 돌아보나
내가 보던 것이 다시 보이지 않아라

석양을 둘러 싸고 모인 구름은
인생의 무상을 많이 본 눈에는
침착한 빛을 띠우고 있다
이제 하나의 시련을 겪고
다른 하나의 승리를 얻었다
우리가 의지하고 살아가는 인정에 감사하고
그 자비, 희열, 공포에 감사하노니
가끔 가장 빈약한 한 떨기 꽃도
눈물을 흘리기에 너무나 심원한 생각을 준다   (1~9행, 198~205행)

외로운 추수꾼

윌리엄 워즈워스

보아라 혼자 넓은 들에서 일하는
저 하일랜드 처녀를,
혼자 낫질하고 혼자 묶고
처량한 노래 혼자서 부르는 저 처녀를
여기에서 잠시 쉬든지 가만히 지나가라
오 들으라! 깊은 골짜기 넘쳐흐르는 저 소리를

아라비아 사막
어느 그늘에서 쉬고 있는 나그네
나이팅게일 소리 저리도 반가우리,
멀리 헤브리디즈 바다
적막을 깨뜨리는
봄철 뻐꾸기 소리
이리도 마음 설레리
저 처녀 무슨 노래를 부르는지
말해 주는 이 없는가

저 슬픈 노래는
오래된 아득한 불행
그리고 옛날의 전쟁들
아니면 오늘 흔히 있는 것에 대한
소박한 노래인가
아직껏 있었고 또다시 있을
자연적인 상실 또는 아픔인가

무엇을 읊조리든
그 노래는 끝이 없는 듯
처녀가 낫 위에 허리 굽히고
노래하는 것을 보았네
나는 고요히 서서 들었네
그리고 나 언덕 위로 올라갔을 때
그 노래 들은 지 오랜 뒤에도
음악은 가슴 깊이 남아 있네

〈그녀는 기쁨의 환상이었다〉에서

월리엄 워즈워스

지나간 날의 즐거운 회상과
아름다운 미래의 희망에 고이 모인 얼굴,
그날그날 인생살이에
너무 찬란하거나 너무 선(善)하지 않은 것.
순간적인 슬픔, 단순한 계교
칭찬, 책망, 사랑, 키스, 눈물과 미소에 알맞은 것.

(15~20행)

그 애는 인적 없는 곳에 살았다

윌리엄 워즈워스

그 애는 도브 강 상류(上流)
인적 없는 곳에 살았다
칭찬해줄 사람도 없고
사랑해줄 사람도 거의 없는 소녀

이끼 낀 돌 옆
반쯤 숨은 바이올렛같이
하늘에 홀로 비치는
고운 별같이

루시는 남 모르게 살았고
언제 죽은 줄도 모른다
그러나 그 애는 무덤 속에 묻히고
아, 세상이 내게는 어찌나 달라졌는지!

〈늙은 수부의 노래〉에서

새뮤얼 테일러 콜리지

칠해진 바다 위에
칠해 놓은 배처럼 꼼짝 않고,
(…)
물, 물, 어디를 돌아보아도
그러나 마실 물은 한 방울도 없다.
(…)
너는 길고 가늘게 갈색으로 여위다.
마치 갈빗대 주름진 바다 모래처럼.
(…)
달빛은 뜨거운 바다를 비웃다.
마치 4월의 흰 서리같이 퍼져.
(…)
오 잠이여! 그것은 인자한 것
극에서 극까지 어디서나 사랑받는!
(…)
…… 계속 배는 움직여 갔다.
즐거이 소리 내며 한낮까지.
마치 밤새도록 잠자는 숲에게

고요한 곡조를 들려 보내는

6월 달 나무숲에 가리운

시내 소리와 같은 즐거운 소리를 내며,

(…)

뒤에 처져 머뭇거리는

잎새들의 갈색 시체가 아니고서는.

(뒤에 처진다는 말이 얼마나 현실감을 주는 말이냐?)

(…)

미풍이 불고 흰 물거품이 일고

뒤에 물고랑을 그리며

우리는 아무도 일찍이 들어가 보지 못했던

이 고요한 바다로 돌입했던 것이다.

(…)

크고 작은 만물을 가장 잘 사랑하는 자가

기도를 가장 잘 한다

왜냐하면 우리를 사랑하는 신은

만물을 창조하시고 사랑하셨나니.

《차일드 해럴드의 순례》의 〈대양〉에서

조지 고든 바이런

너의 해안은 제국들― 너 외에는 다 변하였다.

아시리아, 그리스, 로마, 카르타고, 그들은 지금 무엇이냐?

너의 물결은 그들이 자유로웠을 때 그들에게 권력을 주었고

그 후에는 폭군들이 많았다. 그리고 그들의 해안은

이방인, 노예 또는 야만인에게 복종하게 되었다. 그들의 부패는

왕국을 초토화하였다― 그러나 너는 그렇지 않다.

너의 사나운 물결의 장난을 제하고는 변함이 없다.

시간은 너의 푸른 이마 위에 주름을 그리지 못하고―

창조의 여명이 바라다 본 것과 같이 너는 지금도 물결치고 있다.

시용 성(城)에 부친 소네트

조지 고든 바이런

쇠사슬에 묶이지 않는 영원한 정신이여!
감옥에서 가장 밝아지는 빛, 자유!
너 있는 곳이 심장이기에
너에 대한 사랑만이 너를 묶을 수 있는 심장
너의 아들들은 족쇄를 차고 습기 찬 햇빛 없는
어둠 속에 내던져신나
그들의 조국은 그들의 순국으로 승리하고
자유의 영예가 천지에 퍼지리라

시용— 너의 감옥은 성스러운 곳,
너의 슬픈 바닥은 제단(祭壇)—
바로 그의 발자국에 닿아,
너의 찬 보석(步石)이 잔디인 양 자국 날 때까지
보니바르가 밟았기에
누구도 이 흔적을 지우지 말라!
그것은 폭군에서 신(神)에게 호소하나니

그녀가 걷는 아름다움은

조지 고든 바이런

그녀가 걷는 아름다움은
구름 없는 나라 별 많은 밤과도 같아라
어둠과 밝음의 가장 좋은 것들이
그녀의 모습과 그녀의 눈매에 깃들어 있도다
번쩍이는 대낮에는 볼 수 없는
연하고 고운 빛으로

한 점의 그늘이 더해도 한 점의 빛이 덜해도
형용할 수 없는 우아함을 반쯤이나 상하게 하리
물결치는 까만 머릿단
고운 생각에 밝아지는 그 얼굴
고운 생각은 그들이 깃든 집이
얼마나 순수하고 얼마나 귀한가를 말하여준다

뺨, 이마, 그리도 보드랍고
그리도 온화하면서도 많은 것을 알려주느니
사람의 마음을 끄는 미소, 연한 얼굴빛은
착하게 살아온 나날을 말하여 주느니
모든 것과 화목하는 마음씨
순수한 사랑을 가진 심장

〈나이팅게일에게 부치는 송가〉에서

존 키츠

너는 죽으려고 태어나지 않았다, 불사조여!
  어떠한 탐욕스런 세대도 너를 짓밟아 죽이지는 못하였다.
이 깊어가는 밤에 내가 듣는 저 소리는
  옛날 제왕과 촌부의 귀에도 들렸을 것이다.
아마도 저 노래는 향수에 잠겨
  이역 강냉이 밭에서 눈물지으며 서 있는
루스의 슬픈 가슴속으로도 스며들어 갔을 것이다.
  바로 저 노래는 가끔
쓸쓸한 요정의 나라, 풍랑 높은 바다를 향하여 열려져 있는
  마술의 창을 매혹하였을 것이다.

부서져라, 부서져라, 부서져라

알프레드 테니슨

부서져라, 부서져라, 부서져라,
차디찬 잿빛 바위 위에, 오 바다여!
솟아오르는 나의 생각을
나의 혀가 토로해 주었으면

오, 너 어부의 아이는 좋겠구나,
누이와 놀며 소리치는
만(灣)에 있는 작은 배 위에서 노래하는
오, 사공의 아이는 좋겠구나

그리고 커다란 배들은 간다
저 산 아래 항구를 항해하여
그러나 그리워라 사라진 손의 감촉
더 들을 수 없는 목소리

부서져라, 부서져라, 부서져라,
저 바위 아래 오, 바다여!
그러나 가버린 날의 그의 우아한 모습은
다시 나에게 돌아오지 않으리

《공주》의 〈눈물, 하염 없는 눈물〉에서

알프레드 테니슨

눈물, 하염없는 눈물, 그것이 무엇인지.
성스러운 절망 깊은 곳에서
가슴에 솟아 눈으로 모이느니
행복한 가을 판을 바라다 볼 때
그리고 다시 오지 않는 지난날을 생각할 때.

(1~5행)

《인 메모리엄》 27장

알프레드 테니슨

고귀한 분노를 모르는 포로를
언제라도 나는 부러워하지 않노라
조롱*에서 태어나 여름숲을 모르는
그런 새를 부러워하지 않노라

마음대로 잔인한
짐승들을 부러워하지 않노라
죄책감을 느낄 줄 모르는
양심이 없는

굳은 맹세를 해 보지 않은 마음을
나는 부러워하지 않노라
잡초 속에 고여 있는 물같이
부족을 모르는 안일을 나는 부러워 않노라

---

* 새장

무어라 해도 나는 믿노니
내 슬픔이 가장 클 때 깊이 느끼나니
사랑을 하고 사랑을 잃는 것은
사랑을 아니 한 것보다 낫다고

모래톱을 건너며

알프레드 테니슨

해 지고 저녁 별
나를 부르는 소리!
나 바다로 떠나갈 때
모래톱에 슬픈 울음 없기를

무한한 바다에서 온 것이
다시 제 고향으로 돌아갈 때
소리나 거품이 나기에는 너무나 충만한
잠든 듯 움직이는 조수만이 있기를

황혼 그리고 저녁 종소리
그 후에는 어둠
내가 배에 오를 때
이별의 슬픔이 없기를

시간과 공간의 한계로부터
물결이 나를 싣고 멀리 가더라도
나를 인도해 줄 분을 만나게 되기를
나 모래톱을 건넜을 때

〈샬럿의 부인〉에서

알프레드 테니슨

그녀는 채단과 베틀을 떠났다.
그녀는 서너 발자국 서성댔다.
그녀는 수련이 피어 있는 것을 보고
투구와 깃털을 보았다.
        그녀는 카멜롯을 내려다보았다.
채단은 휘날아 뜨고
거울은 깨져 사방으로 흩어졌다.
"재앙이 나의 몸에 다가왔구나"
샬럿 부인이 소리쳤다.

〈아서 왕의 죽음〉에서

알프레드 테니슨

이리하여 하루 종일 창검 소리는
겨울 바닷가 산 속에 울렸다.
마침내 아서 왕의 원탁은 한 사람 한 사람
라이오네스 전투에서 그들의 군주
아서 왕의 주변에 쓰러졌다.
그때 왕의 상처가 깊었으므로
용감한 베디비어 경은 왕을 안아 일으켰다.
최후로 남은 기사 베디비어는 왕을 싸움터에서 가까운 예배당으
로 옮겼다.
부서진 십자가가 달린 파괴된 성소가
황량한 들판 어둡고 좁은 지협에 서 있었다.
한편에는 큰 바다, 한편은 큰 호수 그리고 달은 만월이었다.

〈이녹 아든〉에서

알프레드 테니슨

견디기 어려운 이 괴로움! 왜 나를 이곳으로 데려왔던고.
전능하신 신이여! 거룩하신 구세주시여!
외로운 섬에서 나를 지탱해 주신 하나님 아버지시여.
좀 더 나를 이 외로움에서 지탱케 해 주시옵소서,
나를 도우시고 힘을 주시어 아내에게
결코 내가 돌아왔음을 말하지 않게 해 주시옵소서.
그녀의 평화를 깨뜨리지 않게 해 주시옵소서.

최상의 아름다움

로버트 브라우닝

한 해 동안의 모든 향기와 꽃은
한 마리 벌의 주머니 속에 있고
한 광산의 모든 황홀과 재산은
한 보석의 가슴 속에 있고
한 진주 속에는 바다의 그늘과 광채가 들어 있다
향기와 꽃, 그늘과 빛—
황홀과 재산, 그리고— 그것들보다 더 귀한—
진실— 보석보다 더 밝은
신의— 진주보다 더 맑은
우주에서 가장 찬란한 진실, 가장 순결한 신의는
한 소녀의 키스 속에 들어 있다

피파의 노래

로버트 브라우닝

때는 봄
날은 아침
아침 일곱 시
산허리는 이슬 맺히고
종달새는 날고
달팽이는 아가위나무에서 기고
하느님 하늘에 계시옵나니
세상은 무사하여라

〈아솔란도의 결구〉에서

로버트 브라우닝

다들 잠든 고요한 한밤중
　　그대 환상들을 자유롭게 놓아줄 때
그 환상들은 한때 그대를 그렇게 사랑하고 그대 또한 그리 사랑한
그가 누워 있는 곳으로 갈 것인가.
— 바보들 생각으로는 죽음에 의하여 갇혀 있는—
　　— 나를 가엾다 여기는가?

그처럼 사랑하고 그처럼 사랑받고도 이렇게 오해를 받다니!
　　게으르고 울기 잘하고 겁 많은
그들과 내가 무슨 상관이 있는가.
목적도 기력도 희망조차 없는 사람같이 나는 헛소릴 하였던가.
　　— 내가 누구라고?

뒤로 돌아선 일 없이 앞으로만 나아간
　　구름이 개일 날이 있음을 의심치 않았던,
정의가 패하긴 해도 불의가 승리함을 꿈에도 믿지 않았던,
일어나고자 우리는 쓰러지고 더 잘 싸우려 패하고
　　깨어나고자 잠든다고 믿었던 그

남들 깨어 일하며 북적대는 대낮에
　　죽은 그대 친구를 갈채로 보내라.
앞만 바라보고 뒤돌아보지 않고 앞으로 나아가라고 일러라.
그리고 외치라 '애쓰고 번영하라, 성공하라'― 싸우며 영원히 나
아가라.
　　이 세상에서와 같이 저승에서도!

《포르투갈 말에서 번역한 소네트》 1번에서

엘리자베스 배럿 브라우닝

신비한 자태 있어라.
등 뒤를 헤매며 나의 뒷머리를 잡아다니네.
때에 소리 있어 묻기를 '그대를 잡아 끄는 이 그 누구이뇨?'
'죽음'이라고 내 대답하니
쟁쟁한 음성은 다시 울리어
'죽음이 아니라 사랑이외다'

(9~14행)

《포르투갈 말에서 번역한 소네트》14번

엘리자베스 배럿 브라우닝

그대 만일 나를 사랑해야 한다면
오로지 사랑을 위해서만 사랑해 주세요.
'그대 미소가 예뻐서— 그대 모습과 그대 상냥한
말씨가 예뻐서— 내 생각과 잘 어울리며,
어떤 날 내 마음에 기쁨을 가져다 준
그대 생각 신통해 사랑한다'곤 말아 주세요.
이런 것들은, 사랑하는 이여, 제 스스로 변할 수 있고
또 그대 편에서 변할 수 있으니— 그렇게 얻어진 사랑은
또 그렇게 잃어버릴 수도 있는 거예요. 내 볼 흐르는
눈물 닦아 주는 그대 연민 때문에 날 사랑한다고도 말아 주세요.
그대의 사랑 오래 지나면 나는 우는 것을 잊고
그리하여 당신도 사랑을 잊으리다.
오로지 사랑을 위해서만 사랑해 주세요.
영원히 그대 날 사랑할 수 있도록.

《포르투갈 말에서 번역한 소네트》 23번

엘리자베스 배럿 브라우닝

그대 만일 나를 사랑해야 한다면
오로지 사랑을 위해서만 사랑해 주세요.
'그대 미소가 예뻐서- 그대 모습과 그대 상냥한
말씨가 예뻐- 내 생각과 잘 어울리며,
어떤 날 내 마음에 기쁨을 가져다 준
그대 생각 신통해 사랑한다'곤 말아 주세요.
이런 것들은, 사랑하는 이여, 제 스스로 변할 수 있고
또 그대 편에서 변할 수 있으니- 그렇게 얻어진 사랑은
또 그렇게 잃어버릴 수도 있는 거예요. 내 볼 흐르는
눈물 닦아 주는 그대 연민 땜에 날 사랑한다고도 말아 주세요.
그대의 사랑 오래 지니면 나는 우는 것을 잊고
그리하여 당신도 사랑을 잊으리다.
오로지 사랑을 위해서만 사랑해 주세요.
영원히 그대 날 사랑할 수 있도록.

〈축복받은 처녀〉에서

단테 가브리엘 로세티

확실히 그녀는 내 위에 몸을 기울였다—

그녀의 머리칼이 내 얼굴 주변에 흩어져 내렸다.

아니, 그것은 다만 가을의 낙엽.

......

기대인 난간이 그녀의 젖가슴으로

따뜻이 녹고

손에 든 백합, 팔에 안겨

시들어버릴 때까지.

......

그이는 겁나 말을 못할는지 몰라.

그러면 내 볼을 그의 볼에 대고

우리 사랑의 이야기를 소근거릴 테야.

조금도 수줍어 말고.

(21~23행, 45~48행, 115~118행)

이름 없는 귀부녀

크리스티나 로세티

훗날에 사람들은 당신을 말하기를
"그는 그 계집을 사랑했느니"
그러나 나를 무어라 말하오리까
한가한 부녀들이 치레 삼아 하는 것같이
나의 사랑은 장난에 지나지 않았다 하오리다
말하고 싶은 내로 하라 하십시오
사랑, 가슴 아픈 이별을
다시 만날 수 없는 이별
땅 위에서 희망이 없고 하늘을 믿을 수 없음을

우리는 알아도 남들은 모르나니
그러나 당신이 헛되이 하지 못할 나의 사랑,
떠나는 사랑, 그러나 주검의 문을 거쳐
다시 당신을 찾아갈 나의 사랑
숨김없이 드린 내 사랑의 심장으로
당신을 걸어 최후 심판에
나의 사랑이 순간이 아니요 생명인 것을 밝히어 달라 청하오리다

내가 죽거든 임이여

크리스티나 로세티

내가 죽거든 임이여

나를 위하여 슬픈 노래를 부르지 마소서 나의 머리맡에다

장미나 그늘지는 사이프러스를 심지 마소서

내리는 소낙비와 이슬에 젖어

내 위에 푸른 풀이 돋게 하소서

그리고 생각하시려거든 하옵소서

잊으시려거든 잊으옵소서

나는 그림자들을 보지 못하고

비 오시는 줄도 모르오리다

가슴 아픈 듯이 우짖는 나이팅게일의 울음소리도

나는 못 들으오리다

뜨지도 않고 슬지도 않는 황혼에 꿈을 꾸면서

어쩌면 추억하리다

어쩌면 잊으오리다

올라가는 길

크리스티나 로세티

저 길은 산허리로 굽어 올라가기만 하나요
    그래요 저— 끝까지
하루 온종일 가야만 될까요
    벗이여, 새벽부터 밤까지 걸리오리다

그러나 밤이 되면 쉴 곳은 있을까요
    어슴푸레 밤이 들며는 집 한 채 있으오리다
어두워 그 집을 지나치지나 않을까요
    그 주막 못 찾을 리는 없으오리다

밤이 되면 다른 길손들도 만날 수 있을까요
    그대보다 먼저 떠난 길손들을 만나오리다
그렇다면 문을 두드리고 불러야지요
    그들은 당신을 문밖에 세워 두지 않으오리다

길에 지쳐 고달픈 몸이 안식을 얻을 수 있을까요
    애쓰고 간 대가가 있으오리다
나를 위하여 그리고 모든 구하는 사람을 위하여
누울 자리들이 있을까요
    그럼요 찾아오는 모든 사람을 위하여
누울 자리가 있으오리다

자장가

크리스티나 로세티

발이 아파 지쳐서 아가야 우니
엄마등에 포근히 잠들어 다고
쉬지않고 엄마는 걸어야 한다
눈 오시는 쓸쓸한 겨울 이 밤에

너는 내 것 니 밖에 무엇이 있니
나의 근심 내 보배 나의 사랑이
엄마 등에 포근히 잠들어 다고
아름답고 즐거운 꿈을 꾸면서

〈진군의 노래〉에서

앨저넌 C. 스윈번

일어나라, 새벽이 일어났나니
　　오라, 그리고 모두 다 먹어라.
들로부터 거리로부터 감옥으로부터
　　오라, 잔치는 베풀어져 있다.
살라, 진실은 살아나니, 깨어라 밤은 갔나니.

도버 해협

매슈 아널드

바다는 오늘 밤 고요하고
만조된 해협 위에 달이 아름답다
프랑스 해안에는 등불이 보이더니 꺼지고
잉글랜드의 절벽은 훤한 빛을 발하며 거대하게
저 평온한 만(灣)에 솟아 있다
창가로 오라, 밤공기가 맑으니

바다가 달빛에 희어진 육지를 만나는
물보라의 긴 선으로부터 들어라
다만 물결이 나갔다가 다시 들이칠 때
높은 해안 위로 자갈을 밀어 올리는 소리를,

느리고 떨리는 억양으로
시작했다가는 그치고
이어 또다시 시작하는,
그리하여 슬픔의 영원한 음조를 전하는 것을

옛날 소포클레스도
에게 해(海)에서 저 소리를 들었다
그리고 그 소리는 그의 마음속에
인생의 혼탁한 썰물과 밀물을 가져왔다
우리도 저 소리 속에서 한뜻을 발견한다
이 먼 북쪽 바닷가에서 저 소리를 들으며

신앙의 바다도
한때 만조되어 이 지구 해변 둘레에
접어놓은 찬란한 허리띠처럼 누워 있었다
그러나 지금 내가 듣는 것은 다만
밤바람 숨결에 밀려
저 광막한 지구 끝으로
지구의 벌거벗은 자갈 위로 물러가는
우울하고 긴 퇴조의 울음

오 사랑아, 진실하자 우리는 서로
꿈나라같이 우리 앞에 놓여 있는 이 세상은
그렇게 다양하게, 아름답게, 새롭게 보이지만
사실은 기쁨도 사랑도 광명도 없고
신념도 평화도 고통을 구할 길이 없나니
그리고 우리들이 있는 이 세상은
밤에 무지한 군대들이 충돌하는 곳,
싸움과 도주의 혼란한 아우성에 휩쓸리는
어두운 광야와도 같고나

이니스프리의 섬

윌리엄 버틀러 예이츠

나 지금 일어나 가려네. 가려네. 이니스프리로
거기 싸리와 진흙으로 오막살이를 짓고
아홉 이랑 콩밭과 꿀벌통 하나
그리고 벌들이 윙윙거리는 속에서 나 혼자 살려네

그리고 거기서 평화를 누리려네, 평화는 천천히 물방울같이 떨어
지리니
어스름 새벽부터 귀뚜라미 우는 밤까지 떨어지리니
한밤중은 훤하고 낮은 보랏빛
그리고 저녁때는 홍방울새들의 날개 소리

나 일어나 지금 가려네, 밤이고 낮이고
호수의 물이 기슭을 핥는 낮은 소리를 나는 듣나니
길에 서 있을 때 회색빛 포도(鋪道) 위에서
내 가슴 깊이 그 소리를 듣나니

하늘의 고운 자락

윌리엄 버틀러 예이츠

금빛 은빛 섞어 짠
하늘의 고운 자락 내 가졌다면
밤과 낮과 황혼의
푸르고 어슴푸레하고 때로 어두운
그 채단, 가시는 길 위에 깔으리다
그러나 내 가난하여 가진 것은 꿈뿐,
나의 꿈 임의 발 아래 깔았습니다
사뿐히 밟고 가시옵소서
내 꿈 위를 걸으시오니

낙엽

윌리엄 버틀러 예이츠

가을에 정답던 나무에 왔다
그리고 보릿단 속의 쥐에게도 빛이 변하였다
머리 위에 늘어진 마가목나무 잎들 누레지고
축축한 산딸기 잎도 노란빛이 되었다

사랑이 기울 때가 닥쳐왔다
이제 우리의 슬픈 마음은 몹시 지쳤다
헤어지자 지금, 정열이 우리를 저버리기 전에
너의 수그린 이마에 키스와 눈물을 남기고

수양버들 정원에서

윌리엄 버틀러 예이츠

수양버들 정원에서 그녀와 나 만났노라
그녀는 눈같이 흰 발로
수양버들 정원을 지나갔노라
나무에 나뭇잎 자라나듯이
사랑을 누리라고
그때 나는 젊고 철없어 그녀의 말 듣지 않았노라

강변 밭 속에서 그녀와 나 섰었노라
그녀는 눈같이 흰 손을
내 어깨 위에 얹고선
봇둑에 풀잎이 자라나듯이
인생을 수월히 살라고

그때 나는 젊고 철없어
지금 눈물 많아라

그는 커류를 나무라다

윌리엄 버틀러 예이츠

커류야 우지 마라 중천(中天)에서,
울려거든 서해 바다에서나 울려무나
네 울음소리를 들을 때면
정열에 흐린 눈과
내 가슴 위에 흩어져 있었던
길 같은 머리를 생각게 하나니,
바람 소리만도
마음을 아프게 하거든

굳은 맹세

윌리엄 버틀러 예이츠

다른 이들 나의 임되어 오다
너 굳은 맹세를 저버림이라
허나 내 죽음을 들여다볼 때
잠의 높은 고비를 올라갈 때
술에 취했을 때
갑자기 너의 얼굴 마주친나

술을 위한 노래

월리엄 버틀러 예이츠

술은 입으로 오고
사랑은 눈으로 오나니
그것이 우리가 늙어 죽기 전에
진리로 알 전부이다.
나는 입에다 잔을 들고
그대 바라보고 한숨지노라.

병사

루퍼트 브룩

내가 죽는다면 이것만은 생각해 주오
이국 땅 들판 어느 한 곳에
영원히 영국인 것이 있다는 것을
기름진 땅속에 보다 더 비옥한
한 무더기 흙이 묻혀 있다는 것을.
영국이 잉태하고 모양을 만들고 의식을 넣어 준,
일찍이 사랑할 꽃을 주고 거닐 길을 주고,
영국의 공기를 숨쉬고 그 강물에 목욕하고
고국의 태양의 축복을 받은 몸이 있다는 것을.

그리고 생각해 주오
승화된 심상, 영원한 마음의 한 맥이
영국이 준 사상을 받은 것 못지 않게
어디엔가 옮겨 준다는 것을.
영국의 풍경과 음향,
영국의 태양과 같이 행복스러운 꿈,
그리고 친구에게서 배운 웃음,
영국 하늘 아래 평화로운 가슴속에 깃든 우아함을.

2. 미국시

콩코드 찬가(讚歌)
— 1837년 7월 4일 전쟁기념비 건립식에서

랠프 월도 에머슨

냇물 위로 휘어진 허름한 다리 옆에서
그들의 깃발은 4월 미풍에 날리었다
여기 예전에 농부들이 진을 치고
그들이 쏜 총소리는 온 세계에 울리었다

적(敵)은 그 후 오래 고요히 자고 있다
승리자도 고요히 자고 있다
그리고 세월은 낡아 무너진 그 다리를
바다로 가는 어두운 물결에 쓸어 버렸다

이 푸른 언덕 위에 이 고요한 시냇가에
오늘 우리는 기념비를 세우노라
선조들과 같이 우리 자손들도 간 뒤에
기념비가 그 공적에 보답할 수 있도록

그 용사들로 하여금 용감하게 죽게 하시고
그들의 자손이 자유를 누리도록 하신 신이여,
세월과 자연에게 길이 아끼라 하옵소서
그들과 당신에게 드리는 이 비석을

〈영국 병사의 무덤〉*

작자 미상

그들은 3,000 마일을 와 여기서 죽었다
과거를 옥좌 위에 보존하기 위하여
대서양 건너 아니 들리는
그들의 영국 어머니의 통곡소리

---

* 1937년 7월 4일 콩코드(미 매사추세츠 주 동부의 도시)에 건립된 전쟁기념비 근처에 미국 독립전쟁시에 전사한 영국 병사들을 위한 조그마한 비석 위에 쓰여진 시이다.

나는 미(美)를 위하여 죽었다

에밀리 디킨슨

나는 미(美)를 위하여 죽었다
무덤에 적응하기도 전에
옆방에 진리를 위하여 죽은 사람이 실려 왔다

"무엇 때문에 죽었느냐" 그는 가만히 물었다
"미를 위하여" 대답하니
"나는 진리를 위하여, 둘은 같은 것, 우리는 형제요"

그리고는 친척같이 밤을 보내고
우리는 방을 사이에 두고 이야기했다
이끼가 두 사람 입술에 닿아
두 사람의 이름 덮을 때까지

나는 황야를 본 적이 없다

에밀리 디킨슨

나는 황야를 본 적이 없다
바다를 본 적도 없다
그러나 히이드꽃이 어떻게 피고
파도가 어떤 것인지 안다

나는 하느님과 이야기한 일이 없다
천국에 가본 적도 없다
그러나 나는 그 장소를 확실히 안다
마치 지도를 가진 것처럼

수련(睡蓮)

사라 티즈데일

그대가
그늘진 오후
호수 위에 떠 있는
수련을 잊었다면
만약에 그대가 물에 젖은
졸음 낀 향기를 잊었다면,
겁내지 말고 돌아오라

그러나 그대
그것들을 기억하고 있다면
연못이 아니 보이는 평원으로 고원으로
영원히 돌아서라
거기서 그대는 꽃잎 오므리는 수련 위에
어두움을 모르고,
산들의 그림자는 그대의 가슴을 아프게 하지 않으리니

잊으시구려

사라 티즈데일

잊으시구려 꽃이 잊혀지는 것같이
한때 금빛으로 노래하던 불길이 잊혀지듯이
영원히 영원히 잊으시구려
시간은 친절한 친구, 그는 우리를 늙게 합니다

누가 묻거든 잊었다고
예전에 예전에 잊었다고,
꽃과 같이 불과 같이 오래전에 잊혀진
눈 위에 고요한 발자국같이

별

사라 티즈데일

나 혼자 이 밤
어두운 산 언덕에 서다
향기롭고 고요한 소나무들이
나를 에워싸고
머리 위 하늘에는
별들이 총총하나
흰색, 황옥색 그리고 물기 어린 붉은색

맥박이 뛰는
수억의 타는 심장
수겁(數劫)의 세월도
괴롭히거나 지치게 하지 못하는

산과 같이
웅장한 둥근 하늘에서
행진하는 별들을 나는 본다
장엄하고 고요한,

그리고 나는 아느니
저리도 장엄한 광경을
목격하는
이 영광을

목장

로버트 프로스트

나는 샘물을 치러 가련다
나뭇잎들만 건져내면 된다
그리고 물이 맑아지는 것을 들여다보련다
그리 오래 걸리지 않을 것이니
너도 가자

나는 송아지를 데리러 가련다
어미 옆에 서 있는 송아지는 아주 어리다
어미가 혀로 핥으면 배틀거릴 만큼
그리 오래 걸리지 않을 것이니
너도 가자

눈 오는 저녁 숲가에 서서

로버트 프로스트

그의 집은 산골에 있지만
이것이 누구의 숲인지 나는 알 것 같다
그의 숲에 눈이 덮이는 것을 바라다보려고
내가 여기 서 있는 것을 알지 못하리라

망아지는 이상히 여길 것이다
숲과 언 호수 사이
농가 하나 가까이 없는 곳에서 있는 것을
한 해의 가장 어두운 이 저녁때

무엇이 잘못되지 않았느냐고
굴레 방울을 흔든다
다른 소리라고는
바람과 날리는 눈

숲은 아름답다. 어둡고 깊다
그러나 나는 지켜야 할 약속이 있어
자기 전에 가야 할 먼 길이 있다
자기 전에 가야 할 먼 길이 있다

가지 않은 길

로버트 프로스트

노란 숲 속에 두 갈래 길이 있었습니다
나는 두 길을 다 가지 못하는 것을
안타깝게 생각하면서
오랫동안 서서 한 길이 꺾이어
바라다볼 수 있는 데까지
멀리 바라다보았습니다

그리고 똑같이 아름다운 다른 길을 택했습니다
그 길에는 풀이 더 있고
사람이 걸은 자취가 적어 아마 걸어야 될 길이라고 생각했던 게
지요
그 길을 걸으므로 그 길도
거의 같아질 것이지만

그날 아침 두 길에는
낙엽을 밟은 자취는 없었습니다
아, 나는 다음 날을 위하여 한 길을 남겨두었습니다
길은 길과 맞닿아 끝이 없으므로
내가 다시 돌아올 것을 의심하면서

훗날 훗날에 나는 어디선가
한숨을 쉬며 이야기할 것입니다
숲속에 두 갈래 길이 있었다고
나는 사람이 적게 간 길을 택하였다고
그리고 그것 때문에 모든 것이 달라졌다고

〈자작나무〉에서

로버트 프로스트

나도 한때는 백화나무를 타던 소년이었습니다.
그리고 그 시절을 꿈꿀 때가 있습니다.
내가 심려(心慮)에 지쳤을 때
그리고 인생이 길 없는 숲속과 너무나 같을 때
　　얼굴이 달고
얼굴이 거미줄에 걸려 간지러울 때
내 눈 하나가
작은 나뭇가지에 스쳐 눈물이 흐를 때
나는 잠시 세상을 떠났다가 다시 돌아와
　　새 시작을 하고 싶습니다.
운명이 나를 잘못 이해하고
반만 내 원(願)을 들어주어
나를 데려갔다가
다시 돌아오지 못하게
하지 않기를 바랍니다.
이 세상은 사랑하기에 좋은 곳입니다.
더 좋은 세상이 있을 것 같지 않습니다.

《J. A. 프루프록의 연가》에서

T. S. 엘리엇

〔제사〕 내 대답이 세상에 다시 돌아갈 수 있는 자에게 한다고 믿
는다면

이 불길은 이제 더 흔들리지 않으리다. 그러나 내 들은 바가 참이
라면

이 지옥에서 살아 돌아간 이 없었으므로 이름을 더럽힐 걱정 없
이 내가

그대에게 대답하련다.*

그러면 가자, 너와 나,

저녁이 마치 수술대 위에 마취된 환자처럼

하늘에 번져 갈 때에.

(…)

가자, 인적이 반쯤 그친 거리거리로,

값싼 일박 여관의 싱숭생숭한 밤이며

굴 껍질에 톱밥 깔린 식당들이 있는

떠들어대는 으슥한 곳을 지나가자.

---

* 이 제사(題詞)는 단테의 《신곡》〈연옥편〉 27편 61~66행에서 가져왔다.

(…)

오오, 묻진 말게, 〈그게 뭐냐?〉고
우리 가서 방문해 보자.

방 안에는 여인들이 왔다갔다 하며
미켈란젤로에 관해 얘기하고 있다.
(…)
유리창에 등을 비벼대는 노란 안개가
유리창에 주둥이를 비벼대는 노란 연기가
저녁의 구석구석으로 혀를 날름거리고

수채에 괸 물 웅덩이 위를 머뭇거리며,
굴뚝에서 떨어지는 검댕을 제 등에 받고
축대 옆으로 미끄러져 살짝 뛰어내려
때가 아늑한 10월 밤인 줄을 알고는
집을 한 바퀴 돌아 잠들어 버린다.
(…)

너에게도 시간, 내게도 시간,
또한 백번씩이나 망설일 시간,
백번씩이나 생각하고 돌이켜 생각할 시간은 있으리.
(…)
실제로 시간은 있으리.
〈감히 내가?〉 또 〈감히 내가?〉
하고 의심해 볼 시간은.
(…)
〈어쩌면 저이 머리가 저렇게 성길담!〉
〈그러나 어쩌면 저이 팔다리가 저렇게 가늘담!〉
(…)
나는 이미 그것들을 다 알고 있다.
저녁과 아침과 오후를 다 알고 있다.
나는 커피 숟가락으로 내 삶을 재어 보았다.
(…)

나는 그 눈을 알고, 그것들을 다 알았다—
틀에 박힌 말투로 빤히 바라보는 눈을,
그래서 나도 틀에 박혀 바늘 위에 몸부림칠 때,
내가 바늘에 꽂혀 벽 위에 꿈틀거릴 때,
그 때 내 어찌 내 세월과 노정(路程)의
남은 찌꺼기를 모두 뱉기 시작하랴?
그런데 내 어찌 주제 넘으랴?

나는 그 팔을 알고, 그것들을 다 알았다—
팔찌 끼고, 흰 드러난 팔을,
(그러나 등불 밑에서 보니 부드러운 밤색 솜털이 돋았구나!)
나를 이처럼 탈선시키는 것은
옷에서 풍기는 향내일까?
식탁 가에 두었거나, 숄을 여미는 팔.

그런데 내 주제 넘으랴?
그런데 내 어떻게 시작하랴?
……

서츠 바람에 창밖으로 기대앉은 외로운
사내들의 파이프에서 오르는 담배 연기를
내가 보았다고 말할까? ……

나는 차라리 고요한 바다 밑을
어기적거리며 지나는 한 쌍의 쪼개진
게의 집게발이나 되었으면.
……
(약간 벗어진) 내 머리가 쟁반에 담겨
들어오는 걸 내가 보았어도
나는 예언자는 아니다. ─ 그러나 여기선
큰 상관은 없다.
(…)
그런데 결국 그 일이 그만한 보람이 있을 뻔 했을까.
(…)
우주를 압축해서 공을 만들어
어떤 압도적인 문제를 향해 굴렀던들

〈나는 라자루스, 죽은 사람에게서 왔다.
너에게 다 말하려 왔다, 다 말하련다〉고
한다 한들— (그 일이 그만한 보람이 있을 뻔 했을까?)
(…)
아니! 난 〈햄릿〉왕자는 아니다. 그럴
팔자도 못 되고.
(…)
나는 늙어가는 거야…… 나는 늙어가는 거야……
내 바짓가랑이 밑을 말아 입게 될 거야.

뒷머리를 가를까? 감히 내가 복숭아를
먹을 수 있을까?
(…)
나는 인어들이 서로 노래 부르는 걸
들었다.

그들이 나한테 노래 부른다곤 생각지
않는다.

나는 그들이 물결을 타고 바다로
가는 걸 보았다.
바람이 희고 검은 물결을 일으킬 때
뒤로 불려오는 물결의 흰 머리를 빗질하면서.

우리는 바다의 침실에서 미뭇거렸다.
붉고 밤색 나는 해초를 두른 바다 처녀 곁에서
마침내 사람의 목소리에 깨어나 우리는
익사한다.

제 2 부
동양시 한역

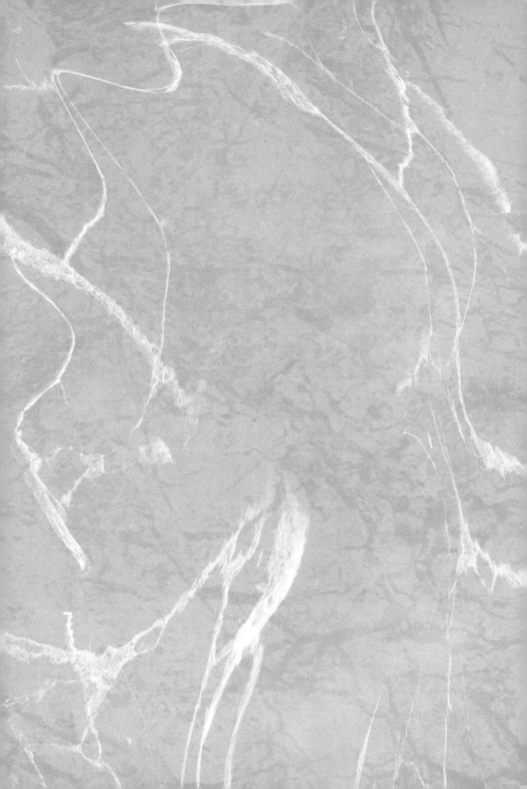

돌아가리라(歸去來辭)

도연명

돌아가리라

전원은 황폐해 가는데

내 어이 아니 돌아가리

정신을 육체의 노예로 만들고

그 고통을 혼자 슬퍼하고 있겠는가

잘못 들어섰던 길 그리 멀지 않아

지금 고치면 어제의 잘못을 돌이킬 수 있으리다

배는 유유히 흔들거리고

바람은 가볍게 옷자락을 날린다

지나가는 사람에게 길을 묻고

새벽빛이 희미한 것을 원망한다

나의 작은 집을 보고는

기뻐서 달음질친다

머슴아이가 반갑게 나를 맞이하고

어린 자식은 문 앞에서 기다린다

세 갈래 길에는
소나무와 국화가 아직 살아 있다
아이들 손을 잡고 집 안에 들어서니
병에 술이 채워져 있다
나는 혼자 술을 따라 마신다
뜰의 나무들이 내 얼굴에 화색이 돌게 한다
남창(南窓)을 내다보고 나는 느낀다
작은 공간으로 쉽게 만족할 수 있음을
매일 나는 정원을 산책한다
사립문이 하나 있지만 언제나 닫혀 있다
지팡이를 끌며 나는 걷다가 쉬고
가끔 머리를 들어 멀리 바라다본다
구름은 무심하게 산을 넘어가고
새는 지쳐 둥지로 돌아온다

고요히 해는 지고
외로이 서 있는 소나무를 어루만지며
나의 마음은 평온으로 돌아온다

돌아가자
사람들과 만남을 끊고
세속과 나는 서로 다르거늘
다시 수레를 타고 무엇을 구할 것인가
고향에서 가족들과 소박한 이야기를 하고
거문고와 책에서 위안을 얻으니
농부들은 지금 봄이 왔다고
서쪽 들판에 할 일이 많다고 한다
나는 어떤 때는 작은 마차를 타고
어떤 때는 외로운 배 한 척을 젓는다

고요한 시냇물을 지나 깊은 계곡으로 가기도 하고
거친 길로 언덕을 넘기도 한다
나무들은 무성한 잎새를 터뜨리고
시냇물은 조금씩 흐르기 시작한다
나는 자연의 질서 있는 절기를 찬양하며
내 생녕의 끝을 생각한다

모든 것이 끝난다
우리 인간에게는
그렇게도 적은 시간이 허용되어 있을 뿐
그러니 마음 내키는 대로 살자
애를 써서 어디로 갈 것인가?
나는 재물에 욕심이 없다
천국에 대한 기대도 없다

청명한 날 혼자서 산책을 하고
등나무로 만든 지팡이를 끌며
동산에 올라 오랫동안 휘파람을 불고
맑은 냇가에서 시를 짓고
이렇게 나는 마지막 귀향할 때까지
하늘의 명을 달게 받으며
타고난 복을 누리리라
거기에 무슨 의문이 있겠는가

전원(田園)으로 돌아와서

도연명

젊어서부터 속세에 맞는 바 없고
성품은 본래 산을 사랑하였다
도시에 잘못 떨어져
삼십 년이 가 버렸다
조롱 속의 새는 옛 보금자리 그립고
연못의 고기는 고향의 냇물 못 잊느니
내 황량한 남쪽 들판을 갈고
나의 소박성을 지키려 전원으로 돌아왔다
네모난 택지(宅地)는 십여 묘(畝)
초옥에는 여덟, 아홉 개의 방이 있다
어스름 어슴푸레 촌락이 멀고
가물가물 올라오는 마을의 연기
개는 깊은 구덩이에서 짖어 대고
닭은 뽕나무 위에서 운다
집안에는 지저분한 것이 없고
빈방에는 넉넉한 한가로움이 있을 뿐
긴긴 세월 조롱 속에서 살다가
나 이제 자연으로 다시 돌아왔도다

음주(飲酒) 제5수

도연명

사람들이 많이 사는 곳에
작은 집 한 채를 마련한다
그러나 마차나 말울음 소리는 없다
그럴 수가 있냐고 물을 것이다
마음이 떨어져 있으면 땅도 자연히 멀다
동쪽 울타리 아래서 국화를 자르다가
우연히 남산을 바라본다
산 공기가 석양에 맑다
날던 새들 떼지어 제집으로 돌아온다
여기에 진정한 의미가 있느니
말하려 하다 이미 그 말을 잊었노라

손님

두보

우리 집 남쪽, 북쪽
다 봄물이다
갈매기 날마다 떼지어 올 뿐
꽃잎 덮인 길
쓴 적이 없더니
그대를 맞으려 싸리문을 열었네
찬거리 사기에는
장이 너무 멀어
가난한 내 집에는 탁주가 있을 뿐
울타리 너머
옆집 늙은이도 오라고 할까?

절구(絶句)

두보

강이 푸르름에 새가 더욱 희고
산이 푸르름에 꽃이 더욱 불타다
이 봄도 지나가니 언제 고향에
돌아갈 수 있을지

〈오동은 천년 늙어도〉

신흠(申欽)[*]

오동은 천년을 늙어도 항상 가락을 지니고,

매화는 일생 추워도 향기를 팔지 않는다.

---

* 신흠(申欽, 1566~1628)은 조선 중기 문인으로 호는 상촌(象村)이다. 인조 때
   이조판서 등을 지냈고 작품집으로 〈상촌집〉 등이 있다. 한문학에 조예가 깊고
   시조에도 관심을 가지고 왕성히 창작했다.

노래

요사노 아키코

창백한 슬픔마저 섞여 짜여서
더욱 아름다워진 사랑의 빛깔

백조(白鳥)

와카야마 보쿠스이

백조는 어이 슬프지 않으리
하늘의 푸르름 바다의 푸르름에도
물 아니 들고 떠 있네

노래

이시카와 다쿠보쿠

헤어지고 와서
해가 갈수록
그리운 그대

이시가리(石狩) 시외에 있는
그대의 집
사과나무 꽃이 떨어졌으리라

긴긴 편지
삼 년 동안 세 번 오다
내가 쓴 것은 네 번이었으리

《기탄잘리》 36번

라빈드라나트 타고르

이것이 주님이시여, 저의 가슴속에 자리잡은 빈곤에서 드리는 기도입니다

기쁨과 슬픔을 수월하게 견딜 수 있는 그 힘을 저에게 주시옵소서

저의 사랑이 베풂 속에서 열매 맺도록 힘을 주시옵소서

결코 불쌍한 사람들을 저버리지 않고 거만한 권력 앞에 무릎 꿇시 아니할 힘을 주시옵소서

저의 마음이 나날의 사소한 일들을 초월할 힘을 주시옵소서

저의 힘이 사랑으로 당신 뜻에 굴복할 그 힘을 저에게 주시옵소서

《기탄잘리》 60번

라빈드라나트 타고르

무한한 세계의 바닷가에 아이들이 모입니다
끝없는 하늘은 머리 위에 고요하고 뒤척이는 바닷물은 소란스럽
습니다
무한한 세계의 바닷가에 아이들이 소리치며 춤추며 모입니다
아이들은 모래로 집을 짓고 조개껍질을 가지고 놉니다
마른 나뭇잎으로 배를 만들어 넓은 바다로 웃으면서 띄워 보냅니다
아이들은 세계의 바닷가에서 장난을 합니다

아이들은 헤엄칠 줄 모릅니다
그물을 던질 줄도 모릅니다
진주잡이는 진주를 캐러 물 속으로 뛰어들어 갑니다
장사꾼들은 배를 타고 갑니다
아이들은 조약돌을 주웠다가 다시 흩트려 놓습니다
아이들은 숨은 보배를 찾지 않습니다
그물을 던질 줄 모릅니다

바다는 웃으며 파도 치고, 해변은 하얀 미소로 빛납니다
    사람에게 죽음을 가져오기도 하는 파도는 아이들에게 뜻 모를 노
래를 웅얼댑니다

    갓난아기의 요람을 흔드는 엄마와도 같이 바다는 아이들과 놀고
해변의 미소는 하얗게 빛납니다

    무한한 세계의 바닷가에 아이들이 모였습니다
    폭풍은 허공에서 소리치고 멀리 죽음 있어도 아이들은 놉니다
    무한한 세계의 바닷가에는 아이들의 크나큰 모임이 벌어집니다

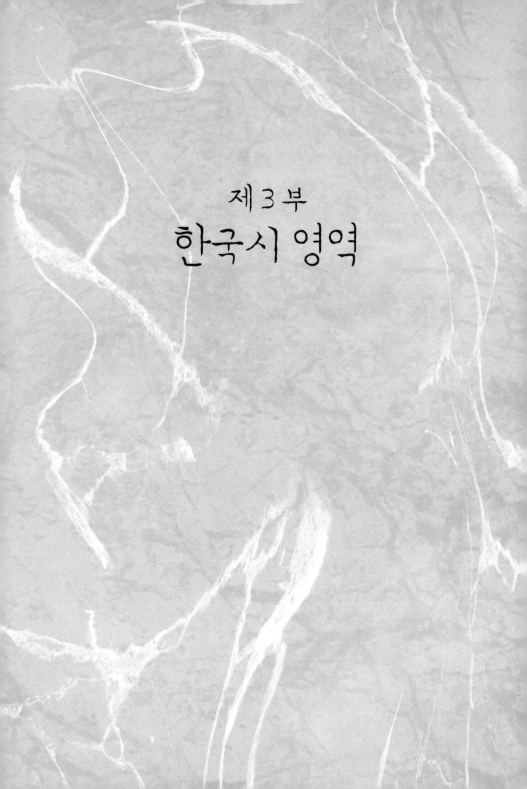

제 3 부
한국시 영역

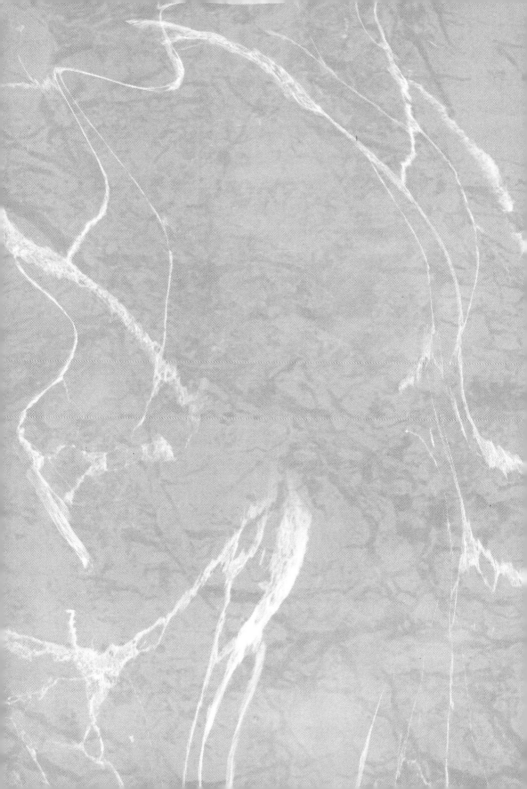

1. 시조

Jeong Chul

Yesterday I heard the wine was ripe
In Song's house over the hill.

I kick the sleeping ox,
Put on a saddlecloth and mount him in haste.

Boy, is your master at home?
Tell him, Chong is here.

Hwang Chin-yi

I cut in two
A long November night, and

Place half under the coverlet,
Sweet-scented as a spring breeze.

And when he comes, I shall take it out,
Unroll it inch by inch, to stretch the night.

Han Yong-wun

You, boy, piping on the back of your ox
Where the setting sun shines,

If your ox is idle,
Load him with my cares.

It would not be hard to do so,
But there is no place to unload them.

Tabotap(다보탑)

Kim Sang-ok

The sparks fly this way
The stone chips that way.
Night and day,
Hammer rings loud on chisel.
Over the Paeg'ungyo
Rises the Pagoda.

Round flowery plate, eight-cornered railing;
Story over story the fair attitude.
Wherever the master's hand touches,
Stone attire blossoms fresh.
Now the pinnacle
Holds up the azure sky.

2. 한국 현대시

I Cannot Understand(알 수 없어요)

Han Yong-wun

Whose footsteps are the paulownia leaves
That fall soundlessly drawing after them perdendicular
Ripples in the still air?

Whose face is the blue sky that glances
Through the gaps of the black clouds driven
By the west wind after a long tedious rain?

Whose breath is the incomprehensible fragrance
That comes through the azure moss
Of the blossomless dark trees and touches
The tranquil sky along the ancient tower?

Whose song is the brook that flow sand curves,
Coming from an unknown source and
Making the stones murmur?

Whose poem is the evening glow decorating the day
That descends walking over the boundless sea
With her feet like lotus flowers and caressing the sky
With her gemlike hands?

The remaining ashes change into oil again and
My heart does not ccease to burn—
For whose night does faint lamp keep vigils?

Chindallae[*] (진달래꽃)

Kim So-wol

When you go away, weary of me,
Having not a word I will let you go.

Youngbyon Yaksan^{**} chindallae
An armful of them I will pluck
And spread the flowers as you go.

Tread softly step after step,
And go your way upon my flowers.

When you go away, weary of me.
I will not, I will not shed tears
Even though I die.

---

*   Korean azalea

**   place name

I Would Have a Window to the South
(남으로 창을 내겠소)

Kim Sang-yong

I would have a window to the south
And a few rows to plough for a day.
I would shoulder a hoe at times
And with a spade I would weed.

I would never leave
Even though the city lures me.
Here I would have the birds' song free.
You may come and eat with me
When the corn is ripe.

If someone asks me why I live here,
I will only smile.

Spring Is a Cat(봄은 고양이로다)

Yi Chang-hui

In the cat's fur, soft as pollen,
Lingers the fragrance of Spring.

In the cat's eyes, like golden bells,
Burns the Spring's mad flame.

On the cat's lips, mute and calm,
Floats a mild drowsiness.

On the cat's sharp whiskers
Leap sparks of azure spring.

Fireside Elegy(노변의 애가)

O Il-do

This furious wind throughout the night
Can have left no leaf on the back-hill date-plum.

On the crimson blood of its autumn leaves
Will the thoughtless village children tread.

My broken bell that cannot keep an appointment....
Must it only watch the lonely stars in the sky?

One wild goose screams from the wind-torn cloud-wrack,
Dies o'er the blue-green fields, blue lands....

By the quiet fireside I close my eyes;
Nostalgia's fogs and rain blot out my sight.

Oh, those far-off dream-like days, my love!
Long, long from your breast have I been an exile.

Alone on the gale-swept road in the rain,

My bursting heart at last was broken.

The Plum—blossoms(매화)

Kim Yong-ho

My shoe soles are still muddy
To warrant this lonely pride.

I would rather puff my breath in the street
Than lie down in winter sleep.

When the snow falls
And, sealed with each foot-fall,
Vague solitude crunches,
Plum blossoms, they say, look fairer.

True,
Lovely feathers to the lingering fragrance.

When the south window is warm
I also, like you, am not lonely.

A Self—Protrait(자화상)

Yun Dong-ju

Turning around the hill I come upon a secluded well
by the rice-field and look down in the water.

In the well the moon is bright; the clouds float;
the sky spreads; the azure wind blows and there is autumn.

And there is a man.
Somehow I become disgusted with the man and turn away.

On the way back I think of the man and begin to pity him.

I return to the well and look into the water. The man is still there as
before.

I become disgusted with the man and go away.

On the way back I think of the man and begin to pity him.

In the well the moon is bright; the clouds float;
the sky spreads; the azure wind blows; autumn has come;
and there is the man like a memory.

The Starry Night (별 헤는 밤)

Yun Dong-ju

The sky where the season turns
Is filled with autumn.

Freed of frets and cares
I can almost count all the stars in the autumn sky.
One, Two......the stars cut into my heart.

I can not count them all
For soon the morning will come.
There will be tomorrow night
Since my youth is not yet over.

To a star "Memory";
To a star "Love";
To a star "Solitude";
To a star "Longing";
To a star "Poetry";
And to a star, "Mother." "Mother."

Mother, to each star I have given a beautiful name.
I have also called the names of the children who shared
a desk with me at school;

And the names of the little girls who are mothers now;
And the names of our poor neighbors;
And "Dove", "Puppy", "Rabbit", "Mule" and "Deer";
And the names of poets like Francis Jammes
And Rainer Maria Rilke

The stars are far away,
They are too far away,

And mother,

You are far, far away in Buk-Kan-Do.

Longing for what I know not

I have written my name

In the soil of the starlit hill-side

And coverd the letters with earth.

Insects are singing all through the night

Surely they grieve for my pitiful name.

But, if winter is past and spring catches up to my star,

From the soil where my name is buried

Grass will grow like pride

As grass that sprouts from a grave.

Winter Sky(동천)

Seo Jeong-ju

With the dreams of a thousand nights

I bathed the brows of my loved one

I planted them in the heavens.

That awful bird that swoops through the winter sky

Saw, and knew them, and swerved aside not to touch them!

The Traveller(나그네)

Pak Mok-wol

Crossing the river by ferry
And taking the road through the corn,

The Traveller goes his way
Like the moon through the clouds.

The road is the only way,
Three hundred *ri* to the south.

In each village the wine is brewing
And the evening, a fiery glow.

The Traveller goes his way,
Like the moon through the clouds.

Once the night is over
The blossoms will all have fallen.

Passion and sorrow being a malady

Quiet, trembling under the moon he goes.

New Spring(새 봄)

Kim Nam-jo

Because of the wind
That never sleeps, even in the depth of night,
I have been weary throughout the winter.

Amid cold streams
And winter's snow
She was born alone,
Young Spring, with her fresh body.

If there is one who lives far away,
Far, so far beyond fingers' reach,
Yet near, so near in your sight,
Greet him, woman, even with a bow.

Our eternal blessing would be
In the lovely, restless yearning,
Waving brightness in the soul.

Woman serving

Your tired husband and your studious son,

Give your love, round as the full moon,

New spring.

First sprouts of the soft green.

I hear the Words

Inflaming a woman's wisdom.

Love Like the Gentle Rain I Give Thee
(빗물 같은 정을 주리라)

Kim Nam-jo

As for you… and me too…
What are we but they
Who come and go
With empty hands and empty hearts?

With that light from his giraffe's neck there
That gaillard showing himself off:
In the shadow of this street lamp
Do my eyes deceive me?

In passing each other…
Your half-seen face.
I am thinking of you these days
Really too much.

It is early spring.
Threads of soft rain
Mist the earth with silken spray,
If a handful of snowdust is strewn.

May you also
Receive in both hands
My love, tender as this rain.

Rain never takes back its mercy:
So would I give my love my love freely,
Not ask anything in return.
Nothing....

What flowers will bloom
In each print of the love freely given,
O nameless friend?

On Ornamentation(장식론)

Hong Yun-suk

Woman tired to beautify
Adding trinkets one by one
As her young years pass away
One by one.

Fresh as "a washed radish"
Lively as "a leaping troutlet"
(Though these are hackneyed).
In those days
Was not youth itself
A shining jewel?

As I walk the pavements
Shocked I am to see
That woman old and shabby
In the window pass by me.
Where are those jewels?
Where are they?

What are all these garements
I wear like Pierrette?

I strolled along the sidewalk,
Tired as city fog;
I peeped into a florist's,
Youth was there in full swing.
The flowers themselves were jewels.

As my white hand
Groped in the flowers
To me it seemed like nothing
But a sapless dead leaf.

Having returned home,
Stealthily I put an amethyst
Ring on my finger
And comfort myself.

The Banquet of Life(생명의 향연)

Hong Yun-suk

Well enough, even without love.
Well enough, even without hope.

We are the myriad fallen stars:
Shadows, each going his own way.

That we are alive
Together in some corner of the world,
By that alone
Happy are we.

We sowed the seeds named desire;
We have lived to gather the hollow fruits.

Let's grieve not, though we have no promise
That we shall ever meet again.
Would that we were a pair of gingko trees gazing at each other.
On the hill, freed from thought, beyond time and space.

The tree that flourish silently
With no far-off longings,
Under the eternal sky, the crystal sea.

To be alive is a divine right:
It is a tender glory
To have neighbors beside us.

It is a great banquet
When there is one to whom I can give my thoughts.

Well enough, even without love.
Well enough, even without hope.

That we are alive
Together in some corner of the world,
By that alone
Happy are we.

We are the unpaid gardeners who have lived to see
The white nothingness blooming in the fields of our desire.

Let's grieve not, though we have no promise
That we shall ever meet again.

3. 자작시 영역

Love Poems (금아연가 1~12번)[*]

1

Greener are the willows.
Bluer is the sky.

Sunbeams on the river
Twinkle with the waves.

On the way to her home
Spring is richer.

2

Dews on her lashes,
What dream is so sad?

I see her hair scattered
On the white face.

---

* 여기 실린 12편의 영역시는 《금아신문선》(1959)에 처음 실렸다.

Through her half-closed lips
I hear her breathing.

3

Though your heart aches
Oh, do not return.

Heavier is the pain at meeting
Than our yearnings far apart.

Waiting, I will live on,
Waiting, the rest of my life.

4

If we are forbidden to be together
I would be your neighbor.

If I be not your neighbor
I would go away.

Far to the Yalu River though I go
Yet will I live on this side.

5

What joy it would be
To see each other.

She and I are on the same earth
Both breathing at this moment.

Why and why
Can I not give that joy?

6

Mountains are not so high.
Oceans are no so wide.

Ocreans can be crossed.
Mountains can be climbed.

Barred is the way to her
It cannot be climbed or crossed.

7

On the gray sea
Gulls cry.

She will not comb
Her losse hair.

May the day be clear and fine
In my lady's land.

8

In winter she came,
And she was gone before spring.

I miss her when spring comes.
When spring comes I miss her more.

On the snowy hills we climbed
Azaleas are blooming.

9

The bird will go on singing
Until her throat is torn.

She sings of her own love

Not the good news she's said to bring.

Why do I go on praying
In vain?

10

Often when the heart aches
I cry her name.

Fly, fly, dear name,
Through sky and sea.

Find the lady.
Let her hear my voice.

11

As a dream I'd forget it
I'd forget it as a cloud.

But forgetting is sadder
Than remembering.

Fresh tears water
Each chapter of our story.

12

If she could be forgotten
I would not recall her.

If she could be recalled
I would not forget her.

If I meet her on the street
I'll say, "How are you?"

Early Spring(조춘)

In the rusted heart
Youth may still be stirring.
Even before the heaped snow in the alley begins to melt
I breathe the season's change.

In veins where blood may run slow
Youth may still be hidden.
Even before the trees on the avenues have drunk the rain,
I feel my steps grow buoyant.

Though my hands may shake when the fire dies,
I fancy azaleas will bloom tomorrow.
In the ahses, in the dust of long years
An ember may be left.

When I Draw a Picture(내가 그림을 그릴 때)

When I draw a picture
I make houses and cars small
And the sky, high and big.

I draw the sky high and big
To make Daddy gay and free,
When he feels tried.

Waiting (기다림)

I peeped in the schoolroom window.
I quickly found your little face among the others.

You were smiling, listening to the teacher.
She was smiling, speaking to the children.

I waited for the bell,
Pusing the swing in the silent playground.

I recalled the little boys.
Who played with the some thirty years ago.

Autumn Leaves(낙엽)

Leaves are falling.

Leaves are falling.

Lokking at the blood-colored hills

I was meant to live.

I desired to live on

Like the leaves inflamed at sunset.

Leaves are falling

Leaves are falling

Leaves are falling blown by the wind.

Leaves are falling on the flowing water.

My Suitcase(나의 가방)

I touch your bruised back
And stretch your twisted straps
And try to fix your broken locks.

When the frost-bitten autumn leaves
Inflamed my heart,
I set out on my solitary journey.

The moon is bright on te snow, I said,
Catcing the last train with you,
Pursuing a journey without destination.

You are old.
I wish I were old too.
Old age, they say, settles a man down.

The Blue Bird (파랑새)

1

"Bird, bird, blue bird.

Do no come down on the bean rows."

It was a joy more than I could bear

To hear the children sing on the radio.

2

Time was when I touched the blossoms

To scc if they were real;

Times was when we lived with alien names

The enemy gave us.

3

Who but the once imprisioned bird

Can feel its freedom racing

Through each pinion of its wing?

4

But soom the frost clutched the bean rows
And broke the blue bird's wing.
The children had no tears to shed
When they saw their school burnt down.

5

"Bird, bird, blue bird.
Do not come down on the bean rows."

Children, well may you sing the song.
Though the beans are withered,
Though the bird's wings are broken.
Under the snow-covered ice
The river is still flowing.

Life(생명)

"If you find no way to wreak your anger
Behold the blue sky of the North Mountain."
So my friend said.
In the egg, incubated three days
A tiny heart is leaping.

"If you are disappointed in love
Learn statistics."
So my friend said.
In the egg, incubated three days
A life, clear and distinct,
Advances like seconds on a watch.

"If you've lost the will to live
Go and see the South Gate Market."
So my friend said.
In the egg, Incubated three days
I see the throb of life,
Precise, like the rotation of the Earth.

Love(연정)

No, it's not so good
As a cup of tea with a slice of toast.

No, it's not so good
As a glove, warm and cozy.

Sometimes it comes to my memory
Like a town once I visited in Italy.

부록1
외국시 원문(일부)

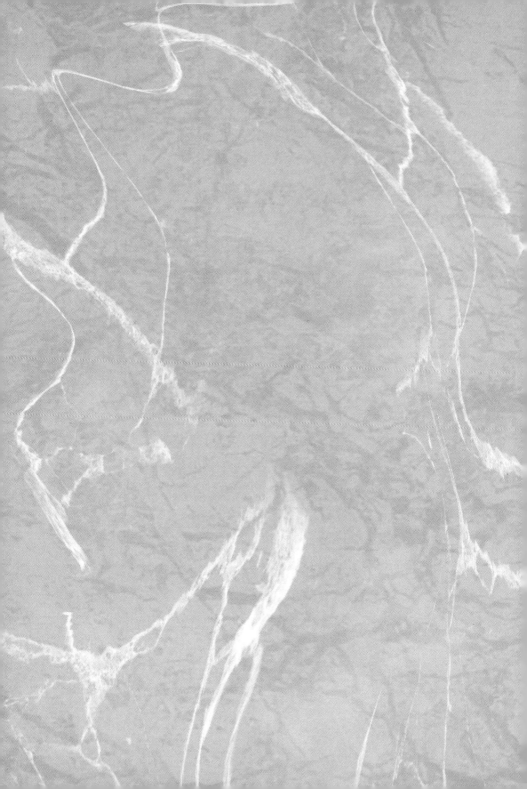

1. 영국시

(1) 에드먼드 스펜서
― 소네트집 〈아모레티〉 67번

Lyke as a huntsman after weary chace,

Seeing the game from him escapt away,

Sits downe to rest him in some shady place,

With panting hounds beguiléd of their pray:

So after long pursuit and vaine assay,

When I all weary had the chace forsooke,

The gentle deare returnd the selfe-same way,

Thinking to quench her thirst at the next brooke,

There she beholding me with mylder looke,

Sought not to fly, but fearelesse still did bide.

Till I in hand her yet halfe trembling tooke,

And with her owne goodwill hir fyrmely tyde.

Strange thing me seemd to see a beast so wyld,

So goodly wonne with her owne will beguyld.

(2) 윌리엄 셰익스피어
— 희극 《열두 번째 밤》 (2막 4장 49~64행)

Come away, come away, Death,

And in sad cypress let me laid;

Fly away, fly away, breath,

I am slain by the fair cruel maid.

My shroud of white stuck all with yew, O prepare it!

My part of death no one so true did share it.

Not a flower, not a flower sweet,

On my black coffin let there be sterwn:

Not a friend, not a friend greet

My poor corpse, where my bones shall be thrown.

A thousnad thousand sighs to save, lay me O where

Sad true lover never find my grave, to weep there!

윌리엄 셰익스피어
— 소네트 29번

When, in disgrace with fortune and men's eyes

I all alone beweep my outcast state,

And trouble deaf heav'n with my bootless cries,

And look upon myself, and curse my fate,

Wishing me like to one more rich in hope,

Featured like him, like him with friends possessed,

Desiring this man's art, and that man's scope,

With what I most enjoy contented least;

Yet in these thoughts myself almost despising,

Haply I think on thee, and then my state,

Like to the lark at break of day arising

From sullen earth, sings hymns at heaven's gate.

    For thy sweet love remembered such wealth brings

    That then I scorn to change my state with kings.

(3) 윌리엄 블레이크
— 양(羊, The Lamb)

Little Lamb, who made thee?

Dost thou know who made thee?

Gave thee life & bid thee feed,

By the stream & o'er te mead;

Gave thee clothing of delight,

Softest clothing wooly bright;

Gave thee such a tender voice,

Making all the vales rejoice!

Little Lamb who made thee?

Dost thou know who made thee?

Little Lamb I'll tell thee,

Little Lamb I'll tell thee!

He si called by thy name,

For he calls himself a Lamb:

He is meek & he is mild,

He became a little child:

I a child & thou a lamb,

We are calléd by his name.

Little Lamb God Bless thee.

Little Lamb God Bless thee.

(4) 윌리엄 워즈워스
— 외로운 추수꾼 (The Solitary Reaper)

Behold her, single in the field,

Yon solitary Highland Lass!

Reaping and singing by herself;

Stop here, or genly pass!

Alone she cuts and binds the grain,

And sings a melancholy strian;

O listen! for the Vale profound

Is overflowing with the sound.

No Nightingale did ever chaunt

More welcome notes to weary bands

Of travelers in some shady haunt,

Among Arabian sands;

A voice so thrilling ne'er was heard

In springtime for the Cuckoo bird,

Breaking the silence of the seas

Among the fartest Hebrides.

Will no one tell me what she sings?—
Perhaps the plaintive numbers flow
For old, unhappy, far-off things,

And battles long ago;
Or is it some more humble lay,
Familiar matter of today?
Some natural sorrow, loss, or pain,
That has been, and may be again?

Whate'er the theme, the Maiden sang
As if her song could have no ending;
I saw her singing at her work,
And o'er the sickle bending—
I listened, motionless and still;
And, as I mounted up the hill,
The music in my hear I bore,
Long after it was heard no more.

(5) 조지 고든 바이런
— 그녀가 걷는 아름다움은 (She Walks in Beauty)

1

She walks in beauty, like the night
   Of cloudless climes and starry skies;
And all that's best of dark and bright
   Meet in her aspect and her eyes:
Thus mellowed to that tender light
   Which heaven to gaudy day denies.

2

One shade the more, one ray the less,
   Had half impaired the namelss grace
Which waves in every raven tress,
   Or softly lightens o'er her face;
Where thoughs serenely sweet express
   How pure, how dear their dwelling place.

3

And on that cheek, and o'er that brow,

    So soft, so calm, yet eloquent,

The smiles that win, the tints that glow,

    But tell of days in goodness spent,

A mind at peace with all below,

    A heart whose love is innocent!

(6) 알프레드 테니슨
— 부서져라, 부서져라, 부서져라 (Break, Break, Break)

Break, break, break,

    On thy cold gray stones, O Sea!

And I would that my tongue could utter

    The thoughts that arise in me.

O, well for the fisherman's boy,

    That he shouts with his sister at play!

O, well for the sailor lad,

    That he sings in his boat on the bay!

And the stately ships go on

    To their haven under the hill;

But O for the touch of a vanished hand,

    And the sound of a voice that is still!

Break, break, break,

    At the foot of thy crags, O sea!

But the tender grace of a day that is dead

    Will never come back to me.

(7) 크리스티나 로세티
─ 노래(Song)

When I am dead, my dearest,
　　Sing no sad songs for me;
Plant thou no roses at my head,
　　Nor shady cypress tree:
Be the green grass above me
　　With showers and dewdrops wet;
And if thou wilt, remember,
　　And if thou wilt, forget.

I shall not see the shadows,
　　I shall not feel the rain;
I shall not hear the nightingale
　　Sing on, as if in pain:
And dreaming through the twilight
　　That doth not rise nor set,
Haply I may remember,
　　And haply may forget.

(8) 매슈 아널드
― 도버 해협 (Dover Beach)

The sea is calm tonight,

The tide is full, the moon lies fair

Upon the straits; on the French coast the light

Gleams and is gone; the cliffs of England stand,

Glimmering and vast, out in the tranquil bay.

Come to the window, sweet is the night-air!

Only, from the long line of spray

Where the sea meets the moon-blanched land,

Listen! you hear the grating roar

Of pebbles which the waves draw back, and fling,

At their return, up the high strand,

Begin, and cease, and then again begin,

With tremulous cadence slow, and bring

The eternal note of sadness in.

Sophocles long ago

Heard it on the Aegean, and I brought

Into his mind the turbid ebb and flow

Of human misery; we

Find also in the sound a thought,

Hearing it by this distant northern sea.

The Sea of Faith

Was once, too, at the full, and round earth's shore

Lay like the folds of a bright girdle furled.

But no I only hear

Its melancholy, long, withdrawing roar,

Retreating, to the breath

Of the night-wind, down the vast edges drear

And naked shingles of the world.

Ah, love, let us be true

To one another! for the world, which seems

To lie before us like a land of dreams,

So various, so beautiful, so new,

Hath really neither joy, nor love, nor light,

Nor certitude, nor peace, nor help for pain;

And we are here as on a darkling plain

Swept with confused alarms of struggle and flight,

Where ignorant armies clash by night.

2. 미국시

(1) 랠프 에머슨 : 〈콩코드 찬가〉(Concord Hymn)

Concord Hymn

SUNG AT THE COMPLETION OF THE BATTLE MONUMENT, JULY 4, 1837

By the rude bridge that arched the flood,
　　Their flag to April's breeze unfurled,
Here once the embattled farmers stood
　　And fired the shot heard round the world.

The foe long since in silence slept;
　　Alike the conqueror silent sleeps;
And Time the ruined bridge has swept
　　Down the dark stream which seaward creeps.

On this green bank, by this solf stream,
　　We set to-day a votive stone;
That memory may their deed redeem,
　　When like our sires, our sons are gone.

Spirit, that made those heroes dare
To die, and leave their children free,
   Bid Time and Nature gently spare
The shaft we raise to them and thee.

(2) 에밀리 디킨슨
― 나는 미를 위하여 죽었다

I died for Beauty—but was scarce

Adjusted in the Tomb

When One who died for Truth, was lain

In an adjoining Room—

He questioned softly "Why I failed?"

"For beauty", I repleid—

"And I—for Truth—Themself are One—

We Brethren, are", He said—

And so, as Kinsmen, met a Night—

We talked between the Rooms—

Until the Moss had reached our lips—

And covered up—our names—

(3) 로버트 프로스트
— 가지 않은 길 (The Road Not Taken)

Two roads diverged in a yellow wood,
And sorry I could not travel both
And be one traveler, long I stood
And looked down one as far as I could
To where it bent in the undergrowth;

Then took the other, as just as fair,
And having perhaps the better claim,
Because it was grassy and wanted wear;
Though as for that, the passing there
Had worn them really about the same,

And both that morning equally lay
In leaves no step had trodden black.
Oh, I kept the first for another day!
Yet knowing how way leads on to way,
I doubted if I should ever come back.

I shall be telling this with a sigh

Somewhere ages and ages hence:

Two roads diverged in a wood, and I—

I took the one less traveled by,

And that has made all the difference.

(4) T. S. 엘리엇
─《J. A. 프루프록의 연가》에서

Let us go then, you and I,

When the evening is spread out against the sky

Like a patient etherized upon a table;

Let us go, through certain half-deserted streets,

The muttering retreats

Of restless nights in one-night cheap hotels

And sawdust restaurants with oyster-shells:

(1~7행)

......

Oh, do not ask, "What is it?"

Let us go and make our visit.

In the room the women come and go

Talking of Michelangelo.

The yellow fog that rubs its back upon the window-panes
The yellow smoke that rubs its muzzle on the window-panes
Licked its tongue into the corners of the evening,
Lingered upon the pools that stand in drains,
Let fall upon its back the soot that falls from chimneys,
Slipped by the terrace, made a sudden leap,

And seeing that it was a soft October night,
Curled once about the house, and fell asleep.

(11~22행)

......

Time for you and time for me,
And time yet for a hundred indecisions,
And for a hundred visions and revisions,

(31~33행)

......

And indeed there will be time
To wonder, "Do I dare?" and, "Do I dare?"

(37~38행)

[... "How his hair is growing thin!"]

(41행)

[... "But how his arms and legs are thin!"]

(44행)

For I have known them all already, known them all:
Have known the evenings, mornings, afternoons,
I have measured out my life with coffee spoons;

(49-51행)

And I have known the eyes already, known them all—
The eyes that fix you in a formulated phrase,
And when I am formulated, sprawling on a pin,
When I am pinned and wriggling on the wall,
Then how should I begin
To spit out all the butt-ends of my days and ways?
　　And how should I presume?

And I have known the arms already, known them all—

Arms that are braceleted and white and bare

[But in the lamplight, downed with light brown hair!]

Is it perfume from a dress

That makes me so digress?

Arms that lie along a table, or wrap about a shawl.

And should I then presume?

And how should I begin?

(55~69행)

......

Shall I say, I have gone at dusk through narrow streets

And watched the smoke that rises from the pipes

Of lonely men in shirt-sleeves, leaning out of windows? ...

I should have been a pair of ragged claws

Scuttling across the floors of silent seas.

(70~74행)

Though I have seen my head [grown slightly bald] brought in upon a
platter,

I am no prophet — and here's no great matter;

(82~83행)

...

And would it have been worth it, after all,

(87행)

To have squeezed the universe into a ball
To roll it towards some overwhelming question,
To say: "I am Lazarus, come from the dead,
Come back to tell you all, I shall tell you all"—

(92~95행)

And would it have been worth it, after all,

(99행)

No! I am not Prince Hamlet, nor was meant to be;

(111행)

I grow old ... I grow old ...

I shall wear the bottoms of my trousers rolled.

Shall I part my hair behind? Do I dare to eat a peach?

(120~122행)

I have heard the mermaids singing, each to each.

I do not think that they will sing to me.

I have seen them riding seaward on the waves
Combing the white hair of the waves blown back
When the wind blows the water white and black.

We have lingered in the chambers of the sea
By sea-girls wreathed with seaweed red and brown
Till human voices wake us, and we drown.

(124~131행)

3. 중국시

돌아가리라[歸去來辭]

도연명

歸去來兮 (귀거래혜) 田園將蕪 (전원장무) 胡不歸 (호불귀)

旣自以心爲形役 (기자이심위형역) 奚惆悵而獨悲 (해추창이독비)

悟已往之不諫 (오이왕지불간) 知來者之可追 (지래자지가추)

實迷塗其未遠 (실미도기미원) 覺今是而昨非 (각금시이작비)

舟遙遙以輕颺 (주요요이경양) 風飄飄而吹衣 (풍표표이취의)

問征夫以前路 (문정부이전로) 恨晨光之熹微 (한신광지희미)

乃瞻衡宇 (내첨형우) 載欣載奔 (재흔재분)

僮僕歡迎 (동복환영) 稚子候門 (치자후문)

三徑就荒 (삼경취황) 松菊猶存 (송국유존)

携幼入室 (휴유입실) 有酒盈樽 (유주영준)

引壺觴以自酌 (인호상이자작) 眄庭柯以怡顔 (면정가이이안)

倚南窗以寄傲 (의남창이기오) 審容膝之易安 (심용슬지이안)

園日涉以成趣 (원일섭이성취) 門雖設而常關 (문수설이상관)

策扶老以流憩 (책부노이류게) 時矯首而遐觀 (시교수이하관)

雲無心以出岫 (운무심이출수) 鳥倦飛而知還 (조권비이지환)

影翳翳以將入 (영예예이장입) 撫孤松而盤桓 (무고송이반환)

歸去來兮 (귀거래혜) 請息交以絶遊 (청식교이절유)

世與我而相違 (세여아이상위) 復駕言兮焉求 (부가언혜언구)

悅親戚之情話 (열친척지정화) 樂琴書以消憂 (낙금서이소우)

農人告余以春及 (농인고여이춘급) 將有事於西疇 (장유사어서주)

或命巾車 (혹명건거) 或棹孤舟 (혹도고주)

旣窈窕以尋壑 (기요조이심학) 亦崎嶇而經丘 (역기구이경구)

木欣欣以向榮 (목흔흔이향영) 泉涓涓而始流 (천연연이시류)

善萬物之得時 (선만물지득시) 感吾生之行休 (감오생지행휴)

已矣乎 (이의호) 寓形宇內復幾時 (우형우내부기시)

曷不委心任去留 (갈불위심임거류) 胡爲乎遑遑欲何之 (호위호황황
욕하지)

富貴非吾願 (부귀비오원) 帝鄕不可期 (제향불가기)

懷良辰以孤往 (회양신이고왕) 或植杖而耘耔 (혹식장이운자)

登東皐以舒嘯 (등동고이서소) 臨淸流而賦詩 (임청류이부시)

聊乘化以歸盡 (요승화이귀진) 樂夫天命復奚疑 (낙부천명부해의)

4. 한국 한문시

〈오동은 천년 늙어도〉

신흠(申欽)

桐千年老恒藏曲
梅一生寒不賣香

5. 일본시*

노래

요시노 아키코

うす青き悲しみまでもとり入れてゆたかになりし恋のいろどり
(약간 푸른 슬픔까지도 집어넣어서 풍부하게 되었다 사랑의 색깔 배합)

---

* 시의 원문을 제공해 주시고 초역까지 해주신 한국외국어대학교 서재곤 교수
님께 감사드린다.

백조

와카야마 보스쿠이

白鳥はかなしからずや空の青海の青にも染まずただよふ

(백조는 슬퍼하지 않을소냐!(아니 슬플 것이다) 하늘과 바다의 푸르름에도 물들지 않고 떠있다)

6. 인도시

《기탄잘리》 60번

타고르

On the seashore of endless worlds children meet. The infinite sky is motionless overhead and the restless water is boisterous. On the seashore of endless worlds the children meet with shouts and dances.

They build their houses with sand and they play with empty shells. With withered leaves they weave their boats and smilingly float them on the vast deep. Children have their play on the seashore of worlds.

They know not how to swim, they know not how to cast nets. Pearl fishers dive for pearls, merchants sail in their ships, while children gather pebbles and scatter them again. They seek not for hidden treasures, they know not how to cast nets.

The sea surges up with laughter and pale gleams the smile of the sea beach. Death-dealing waves sing meaningless ballads to the children, even like a mother while rocking her baby's cradle. The sea plays with children, and pale gleams the smile of the sea beach.

On the seashore of endless worlds children meet. Tempest roams in the pathless sky, ships get wrecked in the trackless water, death is abroad and children play. On the seashore of endless worlds is the great meeting of children.

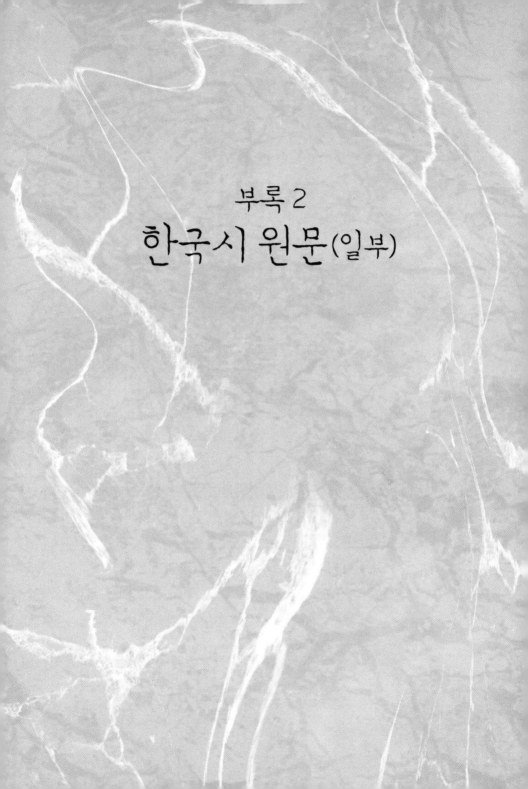

부록 2
한국시 원문(일부)

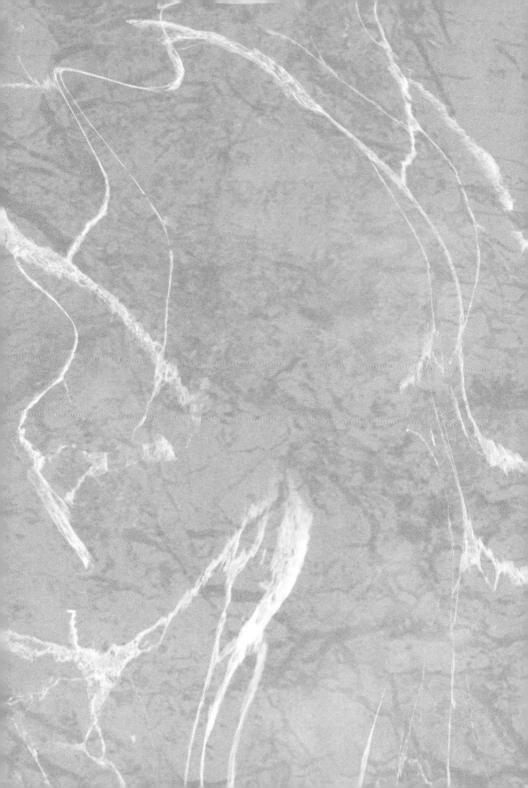

재 너머 성권농 집에

정철

재 너머 성권농(成勸農) 집에 술 익었단 말 어제 듣고
누운 소 발로 박차 언치 놓아 지즐 타고
아해야 네 권농 계시냐 정좌수(鄭座首) 왔다 일러라

비낀 볕 소등에

한용운

비낀 볕 소등에
피리 부는 저 아이야

너의 소 일 없거든
나의 근심 실어주렴

싣기야 어렵지 않지만
뷔릴 곳이 없노리

남으로 창을 내겠소

김상용

남(南)으로 창(窓)을 내겠소.
밭이 한참갈이
괭이로 파고
호미론 김을 매지요.

구름이 꼬인다 갈 리 있소.
새 노래는 공으로 들으랴오.
강냉이가 익걸랑
함께 와 자셔도 좋소

왜 사냐건
웃지요.

자화상

윤동주

산모퉁이를 돌아 논가 외딴 우물을 홀로 찾아가선
가만히 들여다봅니다.

우물 속에는 달이 밝고 구름이 흐르고 하늘이 펼치고
파아란 바람이 불고 가을이 있습니다.

그리고 한 사나이가 있습니다.
어쩐지 그 사나이가 미워져 돌아갑니다.

돌아가다 생각하니 그 사나이가 가엾어집니다.
도로 가 들여다보니 사나이는 그대로 있습니다.

다시 그 사나이가 미워져 돌아갑니다.
돌아가다 생각하니 그 사나이가 그리워집니다.

우물 속에는 달이 밝고 구름이 흐르고 하늘이 펼치고
파아란 바람이 불고 가을이 있고 추억처럼 사나이가 있습니다.

봄은 고양이로다

이장희

꽃가루와 같이 부드러운 고양이의 털에
고운 봄의 향기가 어리우도다

금방울과 같이 호동그란 고양이의 눈에
미친 봄의 불길이 흐르도다

고요히 다물은 고양이의 입술에
포근한 봄 졸음이 떠돌아라

날카롭게 쭉 뻗은 고양이의 수염에
푸른 봄의 생기가 뛰놀아라

빗물 같은 정을 주리라

김남조

너로 말하건 또한
나로 말하더라도
실상은 빈손 빈 가슴으로
왔다 가는 사람이지

기린 모양의 긴 모가지
멋있게 빛을 걸고 서 있는 친구
가로등의 그림자로
눈이 어리었을까

엇갈리어 지나가다
얼굴 반쯤 봐 버린 사람아
요샌 참 너무 많이
네 생각이 난다

사락사락 사락눈이
한 줌 뿌리면
솜털 같은 실비가

비단결 물보라로 적시는 첫 봄인데
너도 빗물 같은 정을
양손으로 받아주렴

비는 뿌린 후에 거두지 않음이니
나도 스스러운 사랑을 주고
달라진 않으리라

아무것도
무상으로 주는
정의 자욱마다엔 무슨 꽃이 피는가
이름 없는 벗이여

생명의 향연(饗宴)

홍윤숙

사랑하지 않아도 좋으리
기다리지 않아도 좋으리

우리는 지상에 떨어진 수만의 별들
제각기의 길을 가는 각각의 그림자

나와 더불어 이 세상 어느 한구석에 살아 있다는
다만 살아 있다는 그것만으로 다행한 우리들

우리는 열망이라는 이름의 씨를 뿌려
가히 허무의 열매를 거두며 살아왔거니

서러워하지 말자
언젠가 다시 해후의 약속 없음을

굳이 바래옵거니
시공을 넘어선 무한의 언덕 위에
무심히 마주선 한 쌍의 은행이기를

원구한 마음의 하늘, 수정의 바다를 머리에 이고
아득히 바라보는 바래움 없는 위치에서
묵묵 자성하는 나무의 역사

살아 있음은 오직 하나의 권능
우리 옆에 이웃 있음은 또 하나 다사한 영광

내 마음 줄 그 한 사람 있음이랴
크나큰 생명의 향연이어니

사랑하지 않아도 좋으리
기다리지 않아도 좋으리

나와 더불어 이 세상 어느 한구석에 살아 있다는
다만 살아 있다는 그것만으로 다행한 우리들

우리는 욕망의 밭에 핀
흰빛 허무를 거두며 살아온 무가의 정원

서러워하지 말자
언젠가 다시 해후의 약속 없음을

생명

피천득

억압의 울분을 풀 길이 없거든
드높은 창공을 바라보라던 그대여
나는 보았다
사흘 동안 품겼던 달걀 속에서
티끌 같은 심장이 뛰고 있는 것을

실연을 하였거든
통계학을 공부하라던 그대여
나는 보았다
시계의 초침같이 움직거리는
또렷한 또렷한 생명을

살기에 싫증이 나거든
남대문 시장을 가보라던 그대여
나는 보았다
사흘 동안 품겼던 달걀 속에서
지구의 윤회와 같이 확실한
생의 생의 약동을!

수록 외국 시인 소개(일부)

1. 토머스 그레이(Thomas Gray, 1716~1771)

그레이는 런던에서 태어나 1734년에 케임브리지 대학에 입학하였다. 1739년에 프랑스, 스위스, 이태리 등 대륙여행을 다녀왔다. 절친인 리차드 웨스트가 죽자 유명한 〈리차드 웨스트 죽음을 애도하는 소네트〉를 썼다. 1751년에 그레이의 영문학 사상 가장 유명한 서정시 〈촌락 교회 묘지에서 쓴 만가〉를 발표했다. 이 시는 출판되자마자 갑작스럽게 유명해졌다. 그 주제는 부자이건 가난한 자이건 모두 종착지는 무덤이라는 것이다. 이 시는 18세기 '묘지 문학파'의 철학인 죽음 앞에서 평등하다는 우울한 애가의 특징을 잘 보여주고 있다. 이 문학파는 영국 낭만주의 문학운동의 선구자가 되었다.

2. 윌리엄 블레이크(William Blake, 1752~1827)

영국 시인. 정규 교육은 받지 못했지만, 열네 살 때부터 판화가의 도제로 일했으며, 왕립미술원에서 공부하기도 했다. 첫 시집《습작 시집》에 이어《순수의 노래》,《델의 서》,《밀턴》,《예루살렘》 등의 시집에서 환상적이고 신비로운 체험과 상상을 표현해 기존의 문학과는 전혀 다른 바람을 불러일으켰으며, 가장 위대한 낭만주의 시인 가운데 한 사람으로 꼽힌다. 삽화가로도 유명한 그는 시에서와 마찬가지로 그림에서도 당대의 주류에서 완전히 벗어나 율동적인 생동감, 위풍당당한 단순함을 보여주는 형상으로 시각적인 상상력을 해방시켰다고 평가받는다.

3. 윌리엄 워즈워스(William Wordsworth, 1770~1850)

영국의 대표적 낭만주의 시인으로 프랑스 혁명(1789)에 직접 참여하였다. S. T. 콜리지와 함께 펴낸《서정가요집》(1798)은 19세기 영국 낭만주의를 본격적으로 촉발시킨 혁명적인 시집이다. 그라스미어 호숫가에 오두막을 짓고 "소박한 생활과 고상한 사상"을 가지고 살았다. 일상 언어와 평범한 소재로 묘사함으로써 시의 위상을 명상과 사유의 수준으로 끌어올렸다. 1843년에 계관시인이 되었다. 짧은 서정시와 자연시를 많이 썼고 대표작으로는 〈틴턴 사원〉, 〈영혼불멸을 깨닫는 노래〉와 50여 년간 쓴 자서전적인 장시《서곡》을 1850년에 출간하였다.

4. 새뮤얼 테일러 콜리지(Samuel Taylor Coleridge, 1772~1834)

콜리지는 데본주 오터리에서 태어나 케임브리지대학교를 다녔다. 그곳에서 그는 시인 로버트 사우디와 함께 이상사회론을 건설하였으나 실패했다. 콜리지는 1798년에 친구 윌리엄 워즈워스와 함께 새로운 시집《서정가요집》을 출간하여 영국 낭만주의의 횃불을 올렸다. 콜리지의 대표시로는 《늙은 수부의 노래》,《쿠블라 칸》,《크리스타벨》,《한밤에 내린 서리》 등이 있다. 콜리지는 1811~12년에 윌리엄 셰익스피어에 심취하여 여러 곳에서 강연을 하였다. 콜리지는 불후의 자전적 문학비평서인《문학 평전》(1817)을 펴냈다. 이 비평서에서 그는 유명한 워즈워스론을 남겼고 공상력(fancy)과 상상력(imagination)에 관한 심도 있는 독창적인 문학이론을 펼쳤다. 철학자로서 콜리지는 과학, 종교와 정치를 화해시키려고 노력했다.

5. 조지 고든 바이런(George Gordon Byron, 1788~1824)

바이런은 런던에서 태어나 케임브리지대 트리니티 칼리지를 다녔다. '호수파'인 워즈워스와 콜리지의 뒤를 이어 소위 '악마파'로 영국 낭만주의 문학 운동의 제2세대를 이끌었다. 1812년 장시《차일드 해럴드의 순례》의 첫 부분이 출간되자 "일어나보니 유명해진 것을 알게 되었다"고 말했을 정도로 시와 더불어 유럽 전체에서 바이런 열풍이 일어났다. 여러 여성들과의 추문으로 일반 대중들의 쏟아지는 비난에 바이런은 유럽으로 떠나 주로 제네바에 머물면서 셸리 부부와도 자주 교유하고 결코 영국으로 돌아가지 않았다. 1819~24년에 대표적 장시《돈 주앙(Don Juan)》을 발표했다. 그의 시는 서정성과 아이러니가 교묘하게 섞여 있다. 터키의 지배를 받던 그리스를 해방시키기 위해 투쟁하다가 사망하였다. 세계주의자 바이런은 정치와 지성 자유주의의 상징이 되었다.

6. 존 키츠(John Keats, 1795~1821)

영국 런던 북부 출생. 키츠는 〈희랍 항아리 송가〉, 〈나이팅게일에게 부치는 송가〉, 〈가을에게〉 등으로 유명하며 영국 낭만주의 운동에서 빼놓을 수 없는 존재다. 짧은 생애 동안 그의 작품은 당대 비평가들의 혹평에 시달렸지만, 이후 영국 시문학에 끼친 영향은 이루 말할 수 없다. 고양된 언어 선택과 감각적인 형상화는 키츠 시 세계의 특징이다. 그의 송시 연작은 영미 문학에서 여전히 가장 자주 언급되는 작품이며, 키츠가 자신의 미학관을 자세히 설명해놓은 그 편지들은 '소극적 수용성'이라는 개념과 함께 영미 문학 작가들에게 끊임없는 찬사를 얻고 있다.

7. 알프레드 테니슨(Alfred Tennyson, 1809~1892)

테니슨은 로버트 브라우닝과 더불어 영국 빅토리아 시대 문학의 2대 시인으로 계관시인이었다. 그는 산문인 소설문학이 점점 더 세력을 확대하는 시대에 시적 기교와 고상한 사상의 시를 써서 많은 독자들을 확보했다. 1831년과 1842년에 《시련들》을 펴내 명성을 얻었다. 그의 유명한 시로는 〈샬럿의 부인〉, 〈아서왕의 죽음〉, 〈록스레이 홀〉 등이 있고 절친의 죽음을 깊이 애도한 시 〈인 메모리엄〉(1850)은 절창이다. 그밖에 1859~85년에 연속으로 발표한 〈왕의 농경시〉, 〈공주〉, 〈율리시즈〉, 〈아름다운 여인의 꿈〉 등이 우수한 시편들이다. 테니슨 시의 특징은 소리와 의미가 조화를 이루고 회화와 음악이 결합되어 있다는 것이다.

8. 로버트 브라우닝(Robert Browning, 1812~1889)

알프레드 테니슨과 더불어 19세기 빅토리아 시대 대표적 영국 시인. 셸리를 좋아했으며 일찍이 탁월한 시적 재능을 보여 1833년에 첫 시집 《폴린》을 출간했다. 그의 시적 방식인 '극적 독백' 형식으로 많은 인물들에 관한 시를 썼다. 《나의 공작부인》(1842), 《프라 리프라핀》(1855), 《소르델로》(1840), 《반지와 책》(1868~69)에서 인물의 복잡한 심리묘사는 20세기 모더니즘 시에도 큰 영향을 끼쳤다.

9. 엘리자베스 배럿 브라우닝(Elizabeth Barret Browning, 1806~1861)

영국 태생으로 빅토리아 시대에 가장 주목받았던 여류시인이다. 여덟 살 때 이미 그리스어로 된 호메로스의 책들을 읽었을 만큼 똑똑

하고 재능이 많았으나 병약하고 고독한 삶을 살았다. 그녀의 작품들은 다양한 주제와 사상에 관해 다루고 있다. 가장 유명한 작품은 〈포르투갈 말에서 번역한 소네트〉인데, 이 작품은 남편 로버트 브라우닝에 대한 사랑을 노래하고 있다. 한편 그녀가 쓴 장편 서사시 〈오로라 리〉는 사회문제와 여성문제를, 〈캐서 귀디의 창〉은 이탈리아의 독립에 대한 동정을 노래한 시다.

10. 크리스티나 로세티(Christina Georgina Rossetti, 1830~1894)

영국의 대표적 여류시인인 로세티는 미술과 시에 뛰어난 재능을 가졌다. 그녀는 어린 시절부터 이탈리아의 화가, 음악가, 작가들을 접하면서 문학적, 예술적 분위기 속에서 성장했다. 시집 《도깨비 시장 외》, 《왕자의 편력 외》 등을 발간했다. 또한 때묻지 않은 순결한 어린이의 마음을 노래한 동요시집 《창가》, 《신작 시집》 등을 차례로 발표했다. 그녀는 간결하고 소박하며, 독실한 기독교 신자로서 신을 받들고 천국을 갈망하는 종교시를 많이 썼다. 죽음과 영원한 안식을 나타낸 시에서 서정성과 섬세한 운율의 감각을 엿볼 수 있다. 그녀는 두 차례의 실연을 겪고 결혼을 단념했으며, 작품 중 연애시의 대부분은 좌절된 사랑의 기록이다.

11. 앨저넌 찰스 스윈번(Algernon Charles Swinburne, 1837~1909)

영국 런던 출생의 시인 겸 평론가다. 어머니는 귀족의 딸, 아버지는 지주였다. 이튼칼리지에서 교육을 받고 옥스퍼드대학에 진학했으나 그 무렵부터 반골 기질이 강해 학위를 받지 않고 중퇴했다. 많은 시를 썼으나 그리스풍의 시극 〈캘리던의 아탈란타〉에서 처음으로 운율 기교의 원숙미를 보였다. 대표작으로 영국 속물주의에 대한 반항을 표시한 이교적이고 관능적인《시와 발라드》, 이탈리아 독립운동에 자극된《일출 전의 노래》, 가장 완벽한 기법의 장시 〈라이어네스의 트리스트람〉 등이 있다.

12. 매슈 아널드(Matthew Arnold, 1822~1888)

아널드는 영국 미들섹스주 라르햄에서 태어나 옥스퍼드대학을 졸업하고 1851년부터 죽기 2년 전까지 장학관직을 맡았다. 1849년에 첫 시집을 냈다. 그의 시 〈도버 해변〉, 〈학자 집시〉, 〈서시스〉는 복잡하고 정교한 연 구조를 가졌다. 1857년부터 10년간 옥스퍼드대 시학 교수직을 유지했다. 이때 그는 중요한 비평문을 여럿 발표했다. 〈호메로스 번역에 대하여〉(1861), 〈켈트 문학론〉(1867), 《교양과 무질서》(1869), 〈시의 연구〉(1880) 등이 있다. 19세기 후반 빅토리아 시대 말기 신앙이 상실되던 시기에 시가 종교를 대체할 수 있다고 말하며, 시는 우리에게 삶을 해석하고 위안을 주고 우리를 지탱시킬 수 있다고 주장했다. 그는 최고의 시와 열등한 시를 구별하는 '시금석 이론'을 내세웠다.

13. 윌리엄 버틀러 예이츠(William Butler Yeats, 1865~1939)

아일랜드 더블린에서 태어나 화가가 되고자 하였으나 후에 시 창작에 전념하였다. 1889년 첫 시집《오이진의 방랑기》와 1895년《시편들》을 간행했고 아일랜드 문예 부흥운동에 앞장섰다. 아일랜드적 전통에서 상징적이고 몽상적인 시를 많이 썼고 후기에는 시의 사회적 기능에도 주목하였다. 시 이외에 희곡집, 평론집, 자서전 등도 출간했다. 1923년 노벨문학상을 받았다. T. S. 엘리엇과 더불어 20세기 초 영어권 최고의 시인으로 평가받고 있다.

14. 루퍼트 브룩(Rupert Brooke, 1887~1915)

영국 럭비에서 태어나 명문 럭비학교(아버지가 교장)에서 교육받고 케임브리지 킹스 대학을 나왔다. 1911년에 첫 시집《시편》을 냈고 일막극《리투아니아》를 썼다. 그리고 1916년에《존 웹스터와 엘리자베스 극》을 출간했다. 1915년에 시집《새로운 노래》를 냈고 여기에 그 유명한 소네트 시 〈병사〉가 실려 있다. 제1차 세계대전이 발발하자 참전하였고 그리스의 다나넬스로 가는 노중 폐혈증으로 사망하여 그리스 영웅 아킬레스의 섬인 스키로스에 묻혔다. 브룩의 수려한 외모와 젊은 나이의 죽음은 낭만적 애국주의의 상징으로 변형되었다. 1910년대 초 미국 방문 후 쓴《미국에서 온 편지》에 미국 소설가 헨리 제임스가 서문을 붙여 사후에 출간되었다. 친구 에드워드 마쉬에 의해 사후에《시선집》(1918)이 출간되었다.

15. 랠프 윌도 에머슨 (Ralph Waldo Emerson, 1803~1882)

미국 보스턴에서 목사의 아들로 태어나 하버드대학을 다녔고 후에 유니테리언파 목사로 1832년까지 활동하였다. 그 후 보스턴 근처 콩코드시에 정착하여 미국 초월주의 문학운동을 시작했으며 강연과 문필활동에 집중했다. 영국에 가서 토마스와 칼라일과 문우가 되어 사귀었다. 에머슨은 96쪽짜리 소책자《자연》(1836)을 출간하여 자신의 사상을 드러내기 시작했다. 그 이듬해 〈미국 학자〉라는 강연에서 미국의 유럽과 다른 지적 독립을 강조했다. 〈하버드 신학교 연설〉에서 기독교 전통의 갱신을 요구했다. 그 후 두 권의 《에세이집》(1841, 1844)을 냈다. 이 책에 실려있는 〈자기 신뢰〉는 당시 국제적으로 유명한 글이 되었다. 그 후 《시선집》(1847)을 냈고 다시 플라톤, 몽테뉴, 셰익스피어 등의 전기가 실린 《대표적 인간》(1850)을 냈다.

16. 에밀리 디킨슨(Emily Dickinson, 1830~1886)

미국 메사추세츠주 앰허스트 청교도 가정에서 공교육을 1년 만에 끝내고 일생 동안 독신으로 지내며 시 창작에 전념하였다. 목사 찰스 워즈워스를 만나 기독교에 큰 영향을 받았다. 독창적인 디킨슨의 사랑과 자연 그리고 신앙의 주제를 중심으로 쓴 1,775편의 시는 문체, 운율과 구조에서 매우 혁신적이었다. 생전에는 단 2편만 발표되었다. 20세기에 들어와서 이미지즘과 형이상학파 시가 부흥하자 재평가를 받고 지금은 미국 최고의 여류시인이 되었다.

17. 사라 티즈데일 (Sara Teasdale, 1884~1933)

미국 미주리주 세인트루이스에서 태어났다. 티즈데일의 짧고 개인적인 서정시는 고전주의적 단순성과 조용한 강렬함으로 유명하다. 그녀는 수시로 시카고에 가서 당시 해리엇 몬로가 주관하는 유명한 《포에트리》지의 동인이 되었다. 그 후 뉴욕시로 옮겨 거의 은둔 생활을 하였다. 첫 시집 《듀즈에게 보내는 소네트 시편》(1907), 두 번째 시집 《바다로 흐르는 강들》(1915)로 널리 읽히는 시인이 되었고 1918년에 풀리처상을 받았다. 1920년에 《불꽃과 그림자》가 나오고 《달의 암

혹》(1926), 마지막 시집 《이상한 승리》(1933)를 출간했다. 신경쇠약증
으로 고생하다 스스로 목숨을 끊었다.

18. 로버트 프로스트 (Robert Frost, 1874~1963)

미국 샌프란시스코에서 태어나 다트머스대학과 하버드대학을 잠
깐 다녔다. 1912년에 영국으로 건너가 살며 첫 시집 《소년의 의지》
(1913)를 발간했다. 유럽에서 제1차 세계대전이 터지자 미국 뉴햄프셔
주 프란코니아에 농장을 사서 정착했다. 그의 시는 뉴잉글랜드의 자
연과 농장 생활에 신비로울 정도의 애착을 표현하고 있다. 쉬운 언어
와 익숙한 리듬으로 농촌 일상적 생활을 소개하며 그 우주적인 의미
를 밝히려 노력했다. 퓰리처상을 4번이나 받았다. 그 후 아머스트, 시
카고, 하버드 등의 여러 대학에서 시학 교수로 지냈다. 시집 《산 사
이》(1916), 《뉴햄프셔》(1923), 《서쪽으로 흐르는 시내》(1928), 《가파른
관목숲》(1947), 《개긴지》(1962) 등이 있다.

19. 도연명(陶淵明, 365~427)

중국 진나라 때 365년에 장시성의 농촌에서 태어난 중국의 위대
한 시인이었고 주로 강호에서 은둔 생활을 하였다. 도연명은 20대인
405년에 부모를 공양하기 위해 말단 관직을 맡았으나 10년 뒤 지나치
게 형식적인 관직 생활과 관리들의 부패에 환멸을 느껴 시작하였다.
아내와 아이들을 데리고 양자강역 고향 농촌마을로 돌아왔다. 어렵
고 궁핍한 농촌 생활을 하였으나 시를 쓰고 국화를 기르고 술을 마시
며 청빈하게 살았다.

당시 정교하고 가식적 문체와 달리 그의 시는 단순하고 직설적이

다. 이런 이유로 그의 시는 당나라(618~907)가 되어서야 제대로 이해되고 평가받았다. 그는 중국 최초의 전원시인이었다. 5언절구의 대가인 그의 작품집으로《도연명집》(전 8권)이 남아 있다.

20. 두보 (杜甫, 712~770)

두보는 당나라 712년 허난성 궁현에서 태어나 전통적 유교 교육을 받았으나 736년 과거 시험에 낙방한 후 여러 곳을 방랑하면서 시인으로 명성을 얻었다. 당대 유명시인이었던 이백(李白)과 고적(高適) 등을 만나 교유하였다. 후에 현종 황제에게 개혁에 관한 상소문을 올려 겨우 말단 관직을 얻었다. 755년의 안록산의 난 중에 두보는 반군에 잡혔으나 탈출해 관군에 합류했다. 반란 진압 후 두보는 관직을 버리고 중국 남부의 여러 곳을 유람하며 시를 지었다. 두보의 초기시는 자연의 아름다움을 노래하고 빠른 세월의 허무를 다루고 있다. 반란 후 두보는 인간성 옹호를 하기 시작했다. 두보는 중국 문학사에서 가장 고전문학에 정통했고 운율 사용이 탁월했다. 그의 조밀하고 절제된 문체는 번역으로는 전달하기 어려울 정도이다. 두보는 중국에서 시성(詩聖)으로 추앙받고 있다.

21. 요사노 아키코 (与謝野 晶子, 1878~1942)

아키코는 1878년 일본 아사카부 사카이에서 태어났다. 어려서부터 가업을 돕기 위해 과자점에서 바쁘게 일하며 쪽시간을 내서 아버지 서재에서《겐지 이야기》등을 읽었고 도쿄에서 공부하던 오빠가 보내주는 문예지를 보며 문학을 독학했다. 1899년 요사노 뎃칸과 만나 시적 상상력을 분출하였다. 1900년에《명성》창간에 참여하였고

1910년에 관능적인 첫 시집 《흐트러진 머리칼》을 출간하여 큰 반향을 일으켰다. 뎃칸과 결혼하여 11명의 자녀를 낳아 키웠다. 후에 아키코는 여성문제에도 관심을 가지고 러일전쟁(1904~1905) 중에는 참전한 남동생의 무사귀환을 바라는 반전시 〈님이여 죽지 말지어다〉(1904)를 쓰기도 했다. 아키코는 와카(和歌) 중 단가가 가장 뛰어났다. 진실한 마음을 표현하는 사랑을 찬양한 작가이다. 말년에 뇌출혈로 작고하였다.

22. 와카야마 보쿠수이 (若山牧水., 1885~1928)

1885년 일본 태생으로 16세경 시 창작을 시작했고 와세다대학에서 영문학을 공부했다. 1904년부터 문예지 《신성》에 작품을 발표하였다. 1968년에 첫 시집 《바다의 목소리》를 출간했다. 시의 경향은 현실을 중시하는 자연주의 문학풍의 작품세계를 그렸다. 그런 의미에서 이 역시집에 실린 다른 2명의 일본 시인 요사노 아키코와 이시카와 다쿠보쿠의 낭만주의풍과 대립된다. 1914년에 시집 《추풍의 노래》를 냈고 사후인 1938년에 시집 《흑토》와 《흑송》이 출간되었다.

23. 이시카와 다쿠보쿠 (石川啄木, 1886~1912)

일본 이와테현에서 1886년에 태어났다. 1902년 중학교를 중퇴하고 문학 수업을 위해 도쿄로 갔다. 1905년에 첫 시집 《동경(憧憬)》을 출간했다. 다쿠보쿠는 낭만주의 시인 아키코의 영향을 크게 받았다. 중학교 중퇴로 제대로 일자리를 구할 수 없어 아내와 딸과 매우 궁핍하게 살았다. 1911년 이후 그는 사회주의에 경도되어 가난한 하층민의 삶을 그리면서 시대와 사회개혁에 깊은 관심을 보였다. 1912년에 폐결핵으로 별세했고 사후에 유고시집《슬픈 장난감》이 나왔다.

24. 라빈드라나트 타고르 (Rabindranath Tagore, 1861~1941)

인도 캘커타에서 1861년에 벵골 지방의 명문 가문에서 태어났다. 타고르는 어려서부터 시를 쓰기 시작해 1877년 영국 런던의 유니버시티 칼리지에서 법학을 전공했다. 1890년에 첫 시집《마나시》를 출간했다. 이 시집에는 그의 대표시 몇 편과 사회정치 시들도 들어 있다. 1891년 타고르 아버지의 영지로 돌아가 그곳 농부들의 가난한 생활을 보았다. 1902년에서 1907년은 아내와 아들딸이 차례로 세상을 떠나 큰 슬픔의 시기였다.

이 경험이 그의 최고의 시집《기탄잘리》를 탄생시켰다. 예이츠의 서문이 붙어 있는 이 시집은 영어로 번역되어 1913년에 동양인으로는 처음으로 노벨문학상을 수상했고 1915년에 양국 왕으로부터 기사 작위를 받았다. 타고르는 많은 시집뿐만 아니라 소설과 극작품도 여러 편 발표하였고, 일급 화가로도 이름이 알려졌으며 수백 편의 시를 작곡하였다.

피천득 연보

1910   서울 종로구 청진동 191번지에서 5월 29일 태어남(본관 : 홍성, 아버지 피원근, 어머니 김수성).

1916   아버지 타계. 유치원 입학, 동시에 서당에서 《통감절요》를 배움.

1919   어머니 타계. 경성제일고보(현 경기고) 부속소학교 입학.

1923   제일고보 부속소학교 4학년 때 검정고시 합격으로 2년 월반하여 경성제일고보 입학. 춘원 이광수가 피천득을 자신의 집에 3년간 유숙시키며 문학, 한시 및 영이 지도.

1924   2년 연상인 양정고보 1년생 윤오영과 등사판 동인지 《첫걸음》에 제목 미상의 시 발표.

1926   첫 시조 〈가을비〉를 《신민(新民)》 2월호(10호)에 발표. 9월에 첫 단편소설 번역(알퐁스 도데의 〈마지막 시간〉을 번역하여 《동아일보》에 4회 연재).

1927   중국 상하이 공부국 중학교 입학(1930년 6월 30일 졸업), 흥사단 가입. 도산 안창호 선생에게 사사.

1930   첫 자유시 〈차즘〉(찾음)을 《동아일보》에(1930년 4월 7일) 발표(등단). 상하이 후장대학(현 상하이 대학교) 예과 입학(9월 1일).

1931   후장대학 상과에 입학, 후에 영문학과로 전과함. 《동광》지에 시 3편(〈편지〉〈무제〉〈기다림〉) 발표.

1932   첫 수필 〈은전 한닢〉을 《신동아》(1932년 5월호)에 발표.

1934	내서니얼 호손 단편소설 〈석류씨〉 번역(윤석중 책임 편집 《어린이》지에 게재). 상하이 유학 중 중국 내전으로 일시 귀국하여 금강산 장안사에서 상월스님에게 1년간 《유마경》《법화경》을 배우고 출가까지 생각하였으나 포기.
1937	상하이 후장대학 영문학과 졸업(졸업 논문 주제는 아일랜드 애국시인 W. B. 예이츠).
1939	임진호와 결혼(시인 주요한 부인의 중매와 이광수 부인 허영숙의 추천). 장남 세영 태어남.
1940	서울 중앙상업학원 교원(1945년 1월 20일까지).
1941	경성제국대학 이공학부 도서관 고원(영문 카탈로그 작성).
1943	차남 수영 태어남.
1945	경성대학교 예과교수 취임(10월 1일), 그 이듬해 국대안 파동으로 사직서 제출(10월 22일).
1946	서울대학교 문리과대학 교수(1948년 2월 28일까지).
1947	첫 시집 《서정시집》(상호출판사) 간행. 딸 서영 태어남.
1948	서울대학교 사범대 영문과 교수 취임(3월 1일).
1954	미국 국무성 초청 하버드대 연구교수(1년간).
1957	《셰익스피어 이야기들》(찰스 램 외 저) 번역(대한교과서주식회사) 출간.
1959	《금아시문선》(경문사) 출간.
1963	서울대학교 대학원 영어영문학과 주임교수(1968년 1월 10일까지). 8·15표창 받음.
1964	《셰익스피어 쏘네트집》 번역(정음사) 출간.
1968	자신의 영역 작품집 《플루트 연주자(A Flute Player)》(삼화출판사) 출간.

1969	금아시문선 《산호와 진주》(일조각) 출간. 미국의 여러 대학에서 한국 문학, 문화 순회강연. 영국 BBC초청으로 영국 방문.
1970	제37회 국제PEN 서울세계대회(대회장 : 백철) 참가 : 논문발표 및 한국시 영역 참여. 국민훈장 동백장 받음.
1973	월간문예지 《수필문학》에 수필 〈인연〉 발표.
1974	서울대학교 조기퇴직(8월 14일자) 후 미국 여행.
1975	서울대학교 명예교수.
1976	수필집 《수필》(범우사) 출간.
1977	《산호와 진주》로 제1회 수필문학대상 수상.
1980	《금아시선》 《금아문선》(일조각) 출간.
1991	대한민국 문화예술상 은관문화훈장 수여.
1993	시집 《생명》(동학사) 출간.
1994	번역시집 《삶의 노래 — 내가 사랑한 시, 내가 사랑한 시인》(동학사) 출간.
1995	제9회 인촌상 수상(시 부문).
1997	88세 미수기념 《금아 피천득 문학전집》(전 4권, 샘터사) 출간.
1999	제9회 자랑스러운 서울대인 수상.
2001	영역 작품집 《종달새(A Skylark: Poems and Essays)》(샘터사) 출간.
2002	단편소설 번역집 《어린 벗에게》(여백) 출간.
2005	상하이 방문(상하이를 떠난 지 70년 만에 차남 피수영, 소설가 박규원과 함께).
2007	서울 구반포 아파트에서 폐렴 증세로 서울 아산병원에 입원한 뒤 별세(5월 25일). 경기도 남양주 모란공원(예술인 묘역)에 안장.

타계 후 주요사항

2008	서울 잠실 롯데월드 3층 민속박물관 내 '금아피천득기념관' 개관.
2010	탄생 100주년 기념 제1회 금아 피천득 문학세미나 개최(중앙대).
2014	피천득 동화 《자전거》 창작 그림책(권세혁 그림) 출간. 2018년부터 피천득 수필 그림책 시리즈 《장난감 가게》(조태경 그림), 《엄마》(유진희 그림), 《창덕궁 꾀꼬리》(신진호 그림), 《서영이와 난영이》(한용옥 그림) 계속 출간.
2015	금아피천득선생기념사업회 결성(초대회장 석경징).
2016	부인 임진호 여사 별세(모란공원에 합장).
2017	서거 10주기를 맞아 《피천득 평전》(정정호 지음) 출간.
2018	서울 서초구 반포천변에 '피천득산책로'(서초구청) 조성.
2022	탄생 112주기, 서거 15주기를 맞아 《피천득 문학 전집》(전 7권)(범우사)과 《피천득 대화록》(범우사) 출간.

작품 해설

8년 전쯤인 1997년, 나는 평소 틈틈이 번역해 놓았던 외국의 시들을
묶어서 《내가 사랑하는 시》라는 제목의 번역시집을 펴냈습니다. 그 책에
실린 외국의 시들은 평소에 내가 좋아해서 즐겨 애송하는 시편들입니다.
재미 삼아 그 시들을 한 편 한 편 우리말로 옮겨보았을 뿐이지 번역시집
을 펴내겠다는 의도를 애초부터 가지고 있었던 것은 아닙니다.

내가 왜 외국의 시를 번역했는지 궁금해할 독자들이 있을 것 같아서
말하는데 그 이유는 단순합니다. 내가 좋아하는 외국의 시를 보다 많은
우리나라의 독자들과 함께 나누고 싶었기 때문입니다.

― 피천득 〈시와 함께한 나의 문학 인생〉(2005)

번역문학가 피천득 다시 보기

그동안 우리는 금아를 수필가로만 알고 있었고 일부에서 시인 피
천득에 대한 논의가 있었으나, 문학번역가로서의 피천득에 관한 논
의는 별로 없었다고 해도 과언이 아니다. 워낙 과작인 그의 작품세계
에서 양으로나 질로나 그의 번역 작업은 결코 무시할 수 없는 분야다.
기존에 출간된 피천득 작품집 4권 중 번역시집이 두 권이나 있고 이
밖에 산문으로 된 번역본 《쉑스피어의 이야기들》(1957)과 단편소설
번역집인 《어린 벗에게》(2003)도 있다. 더욱이 금아에게 외국 시 번역

은 그가 시인으로 성장하는 과정과도 밀접한 관계가 있다.

금아는 자신을 한 번도 전문 번역가라고 내세운 적은 없지만, 모국어에 대한 토착적 감수성과 탁월한 외국어(영어) 실력으로 볼 때 그는 이미 준비된 문학 번역가다. 번역은 무엇보다도 '사랑의 수고'다. 많은 시간과 정력이 있어야 하는 번역가의 길은 고단한 순례자와 같다. 금아는 거의 30년간 영문학 교수로 지내며 자신이 좋아하는 셰익스피어 소네트와 영미 시는 물론, 극히 일부지만 중국 시, 일본 시 그리고 인도 시와 영미 산문 및 단편소설을 번역하였다.

피천득 번역의 원작과 범위

피천득의 이미 출간된 번역시 책 제목의 일부인 '내가 사랑하는'에서 볼 수 있듯이, 금아는 시 번역을 할 때 문학사적으로 중요성이 크거나 시대를 대표하는 장시(長詩)를 선택하지 않았다. 평소에 좋아해서 즐겨 애송하는 시편들을 중심으로 철저하게 자신의 기질과 기호에 따라 주로 짧은 서정시를 택하는 금아는 번역을 통해서도 자신의 문학세계를 충실하게 지키며 발전시켰다. 다시 말해 금아는 번역해야 하는 또는 자신이 번역할 수 있는 외국 시가 아니라, 자신이 좋아하여 암송하는 시들을 번역하여 자신의 창작 세계와 일치시킨 것이다. 산문도 난삽한 이론이나 장편 소설이 아닌 서정적이고 짧은 산문과 단편소설을 번역하였다.

기본적으로 번역은 불가능하다고 전제한 금아는 그 이유를 "다른 나라 말로 쓰인 시를 완전하게 옮긴다는 것은 불가능한 일입니다. 시에는 그 나라 언어만이 가지고 있는 고유의 감정과 정서가 담겨 있기 때문"이라고 밝혔다. 하지만 자신이 번역시집을 펴내는 이유를 "내가 좋아하는 외국의 시를 보다 많은 우리나라의 독자들과 함께 나누고 싶"고 "외국어에 능통해서 외국의 시를 원문 그대로 감상할 수 있다면 가장 좋겠지만 현실적으로 그럴 수 있는 독자는 얼마 되지 않"기 때문이라고 말한다. 금아가 시를 번역하면서 가장 염두에 두었던 점은 다음 세 가지이다.

첫째, 시인이 시에 담아둔 본래의 의미를 훼손하지 않는다.
둘째, 마치 우리나라 시를 읽는 것처럼 자연스러운 느낌이 드는 번역을 한다.
셋째, 쉽고 재미있게 번역을 한다.

피천득의 시 번역 첫째 원칙인 시인이 시 담아둔 본래의 의미를 훼손하시 않는다는 말은 시의 본래의 뜻을 그대로 살리려는 '직역'과 거의 같은 것이며, 둘째 원칙인 마치 우리나라 시를 읽는 것처럼 자연스러운 느낌이 든다는 말은 "우리나라 말인 한국어 질서와 어감이 맞는 느낌을 준다"는 뜻이어서 '의역' 또는 '자유 번역'과 부합한다. 여기까지 보면 피천득은 직역과 의역 사이에서 균형과 조화를 잡으려고 노력했다. 그러나 실제로 번역 작업에서 이런 균형을 맞추기란 매우 어려운 일이며 아마도 거의 불가능한 일일지도 모른다. 작품의 성격이나 번역자의 기질 때문에 잘못하면 한쪽으로 기울어지게 마련이다. 피천득은 자신의 번역 이론에 어긋나게 실제 번역 현장에서 균형과 조화를 유지하려고 노력하면서 좀 더 자유로운 번역을 택했다. 금아는 공식적으로 번역의 셋째 원칙에서 그것을 표명한다. 쉽고 재미

있게 번역한다는 말은 자신이 역자로서 자유롭게 표현하고 싶은 소망을 드러내며 한국 독자들이 예상하는 반응을 염두에 두고 그들이 쉽게 즐길 수 있도록 시를 번역하겠다는 의지가 들어있다.

금아는 자신의 전공 분야인 영미 시뿐만 아니라 일본, 중국, 인도 시도 번역하였다. "높은 차원의 시는 동서를 막론하고 엇비슷"하고 "모두가 순수한 동심과 고결한 정신, 그리고 맑은 서정을 가지고 있"기 때문이다. 여기에서 금아는 언어와 문화가 서로 다른 경우라도 인간성을 토대로 한 문학의 보편성을 믿고, 나아가 일반 문학 또는 세계 문학으로서의 가능성도 인지하고 있는 듯 보인다.

피천득의 시 번역 작업의 의미를 논하기 위해 우선 번역시 자체에 대한 자세한 분석과 검토가 필요하고, 그런 다음에는 다른 번역시나 번역자들과의 '비교'가 필요하다. 모든 논구 과정에서 비교란 각 주체의 정체성을 정립하는 데 필수적이다. 모든 것은 스스로 존재하지만, 때로는 다른 주변 존재들과의 차이를 통해 변별성을 가질 수 있기 때문이다. 그래서 비교는 문학 연구와 비평에서 기본적 작업일 수밖에 없다. 하지만 비교는 우열 판정을 위한 것이라기보다 각 번역의 변별성과 특징을 찾아내는 것을 의미하며, 그다음 단계인 우열 판정의 문제는 논자에 따라 또는 필요에 따라 그 기준이 엄청나게 달라질 수 있다.

과소평가된 번역문학가 피천득

영문학 교수로 30년간 재직하는 동안 피천득은 강의와 창작을 열심히 하면서도 번역에 대한 노력과 애정이 남달랐다. 실제로 그의 생전에 나온 샘터판 전집 4권 중 시집, 수필집 각 1권 외에《셰익스피어 소네트》와《내가 사랑하는 시》2권이 모두 번역 작품집이다. 피천득은 젊은 시절 1년 연하인 아동 문학가 윤석중이 책임 편집하는 아동 잡지 등에 영미 단편 여러 편을 번역 게재하였고 타계하기 수년 전 그 단편 들을 모아서《어린 벗에게》란 단편소설 번역집을 출간한 바 있다.

그러나 피천득은 무엇보다도《동아일보》에 1926년 8월 19일부터 27일까지 4회에 걸쳐 프랑스 소설가 알퐁스 도데의 〈마지막 수업〉을 번역 게재했다. 그때는 피천득이 만 16세 나이로 상하이로 유학 떠 나기 직전인 경성고보 재학생이었고, 이 단편은 해방 후 수정되어 국 정 국어 교과서에 실려 유명해졌다. 19세기 말 보불 전쟁 때 독일 침 공을 당한 후 알자스·로렌 지방의 초등학교에서 프랑스어를 다시는 배울 수 없는 한 소년의 안타까움을 그린 단편소설이다. 당시 피천득 은 일제에 의한 모국어 말살 정책에 저항하는 의미로 이 단편을 번역 해서 신문에 실었다.

피천득은 이후 1957년에는 19세기 영국의 수필가 찰스 램과 그 누이 메리 램이 함께 쓴《셰익스피어 이야기들》을 번역하여 출판하 였다. 이 책은 찰스 램 남매가 38편이나 되는 방대한 셰익스피어의 주 작품 중 20편을 골라 그 내용을 쉽게 설명하고 평한 작품으로 어 린이와 청소년은 물론 어른들까지 두루 읽는 전 세계적 베스트셀러 였다. 피천득이 이 번역본을 새로운 현대 어법에 맞추어 수정해서 다 시 출판하지 않은 이유가 궁금하다. 이렇게 피천득은 상당량의 시와 소설 그리고 산문을 번역 출간하였다. 그러나 요즘처럼 번역이 중시 되는 세계화 시대에도 초기 번역문학가로서 피천득의 공로와 업적은 거의 논의되지 않는데 이 또한 궁금하다.

다음에서 피천득의 번역작업을 구체적으로 논의해 보기로 하자.

(1) 영미 시 번역

피천득의 최초 번역은 1926년 《동아일보》에 실린 프랑스 소설가 알퐁스 도데의 단편소설 〈마지막 수업〉이었다. 피천득이 경성고보 학생이던 16세에 처음으로 단편소설을 번역하여 당시 주요 일간지에 게재한 것은 놀라운 일이다. 그러나 이 최초 번역은 피천득 전집 6권에서 다루고 있으므로 여기서는 논의를 생략한다.

피천득은 1933년 《신가정》(11월호)에 19세기 영국 여류시인 크리스티나 로제티(1830~1894)의 시 4편, 즉 〈자장가〉, 〈이름 없는 귀부녀〉, 〈내가 죽거든 님이여〉, 〈오르막길〉을 번역하여 실었는데, 이 중 〈이름 없는 귀부녀〉와 〈내가 죽거든 님이여〉 2편만 《금아 시문선》(1959)에 실었다. 그러나 훗날에 펴낸 외국시 번역집 《내가 사랑하는 시》(1996)에서는 그 2편마저 삭제했다. 여기서는 독자들의 편의를 위해 영시 원문과 함께 〈내가 죽거든 님이여〉만 《신가정》 번역본을 소개한다.

> 내가 죽거든 님이여
> 나를 위하야 슬픈 노래를 부르지 마소서
> 나의 머리맡에다
> 장미나 그늘지는 사이프러스를 심지 마소서
> 나리는 소낙비와 이슬에 젖어
> 내 위에 푸른 풀이 돋게 하소서

그러고 생각하시려거든 하시옵소서

잊으시려하거든 잊으시옵소서

나는 그림자들을 보지 못하고

비오시는 줄도 모르오리다

가슴 아픈듯이 우지짖는 나이팅게일의 울음소리도

나는 못 들으오리다

뜨지도 않고 슬지도 않는 황혼에 꿈을 꾸면서

기쁘게 추억하리다

기쁘게 잊으오리다

When I am dead, my dearest, Sing no sad songs for me;

Plant thou no roses at my head,

Nor shady cypress tree:

Be the green grass above me

With showers and dewdrops wet;

And if thou wilt, remember,

And if thou wilt, forget.

I shall not see the shadows,

I shall not feel the rain;

I shall not hear the nightingale

Sing on, as if in pain:

And dreaming through the twilight

That doth not rise nor set,

Haply I may remember,
And haply may forget.

피천득은 1959년 출간한 《금아 시문선》(경문사)에서 영미 시 몇 편, 즉 에드먼드 스펜서의 소네트 2편, 에머슨의 시 1편, 엘리자베스 브라우닝의 시 1편, 크리스티나 로제티의 시 2편 그리고 예이츠의 시 4편을 실었다. 이 번역시들은 이전에 다른 잡지에 실렸던 것들로 여기에 재수록되었으며, 대부분은 조금씩 수정되어 후에 번역시집 《내가 사랑하는 시》에 재수록되었다. 그러나 영국 르네상스 시대 시인 에드먼드 스펜서(1552~1599)의 소네트집 《아모레티》에서 번역한 2편은 포함되지 않았다. 《아모레티》는 스펜서가 후에 아내가 된 엘리자베스 보일에게 보낸 88편의 소네트 연작 시집이다. 주제는 자신의 애인이 이 소네트 속에서 영원불멸의 존재가 된다는 것이다.

이 소네트는 한 연이 4행시인 3개 연과 마지막 결구 2행인 14행 시다. 피천득은 이 14행 소네트의 각 연을 모두 번역하지 않고 자유 역으로 2행 짧은 연으로 재구성했다. 피천득은 이러한 시조체가 한국 독자들의 이해와 감상에 더 유익하리라 판단한 듯하다. 그의 번역 중 소네트 67번 번역은 다음과 같다.

숨가쁜 사냥꾼이
그늘에서 쉬노라니

사슴 물을 찾아
시냇가로 나려오다

떠는 손이 만지어도
태연스레 쳐다보네
이상타 제풀로 돌아와
쉽사리 잡히는고

    여기에 16세기 영어 원문과 함께 다른 역자의 한국어 번역(박기열 역)을 제시한다. 시인 피천득과 영문학자 박기열의 번역은 비교해 보면 그 차이가 극명하게 드러날 것이다.

    사냥꾼처럼

진력나게 쫓다가 짐승이,
자기를 피해 도망친 것을 알고,
짐승을 놓치고 헐떡이는 개와 함께,
그늘진 곳에 앉아 쉬는 사냥꾼처럼:
오랫동안 부질없이 쫓아가던 나는 그만,
기진하여 추격을 단념했는데,
순한 사슴은 가까운 냇물에 갈증을
축이고저 같은 길로 되돌아왔네.
거기서 얌전한 얼굴로 날 쳐다보며,
도망갈 생각도 않고 태연히 머물러 있었네,
그래도 약간은 떨고 있는 그를 붙잡고,
그 자신의 호의로 단단히 묶었네.
이상도 하지, 그토록 사납던 짐승이

자신도 모르게 그렇게 순순히 굴복하다니. (박기열 역)

Like as a huntsman after weary chase,

Seeing the game from him escap'd away,

Sits down to rest him in some shady place,

With panting hounds beguiled of their prey:

So after long pursuit and vain assay,

When I all weary had the chase forsook,

The gentle deer return'd the self-same way,

Thinking to quench her thirst at the next brook.

There she beholding me with milder look,

Sought not to fly, but fearless still did bide:

Till I in hand her yet half trembling took,

And with her own goodwill her firmly tied.

Strange thing, me seem'd, to see a beast so wild,

So goodly won, with her own will beguil'd.

피천득의 자유 번역은 원문의 뜻을 훼손하지 않고 스펜서의 14행 소네트를 쉽고 자연스럽게 읽히는 시조체 한국 시로 재창조되었다.

스펜서의 또 다른 소네트 〈내 애인은 얼음과 같고(My Love Is Lyke to Ice)〉를 피천득의 자유 번역으로 소개한다.

임은 얼음이요

이 마음은 불이로다

불 더울수록
얼음 더욱 굳어지오
얼음 차질수록
불은 더욱 뜨거워라

사랑은 무슨 힘이기에
천성조차 바꾸는고

　피천득의 이 번역도 영문학을 공부하는 사람들이 아니라 한국 전통문학에 익숙한 일반 독자들을 위해 시조체로 번역하였다. 이 번역은 하나의 완전히 새로운 창작이 아닌가!

　피천득은 19세기 초 영국 낭만주의의 대표적 시인 바이런(1788~1824)의 짧은 시 〈그녀가 걷는 아름다움은(She Walks in Beauty)〉을 아래와 같이 번역하였다.

그녀가 걷는 아름다움은
구름 없는 나라, 별 많은 밤과도 같아라
어둠과 밝음의 가장 좋은 것들이
그녀의 모습과 그녀의 눈매에 깃들어 있도다
번쩍이는 대낮에는 볼 수 없는
연하고 고운 빛으로

한 점의 그늘이 더해도 한 점의 빛이 덜해도
형용할 수 없는 우아함을 반쯤이나 상하게 하리

물결치는 까만 머릿단

고운 생각에 밝아지는 그 얼굴

고운 생각은 그들이 깃든 집이

얼마나 순수하고 얼마나 귀한가를 말하여 준다

뺨, 이마, 그리도 보드랍고

그리도 온화하면서도 많은 것을 알려주느니

사람의 마음을 끄는 미소, 연한 얼굴빛은

착하게 살아온 나날을 말하여 주느니

모든 것과 화목하는 마음씨

순수한 사랑을 가진 심장

She walks in beauty, like the night

Of cloudless climes and starry skies;

And all that's best of dark and bright

Meet in her aspect and her eyes:

Thus mellowed to that tender light

Which heaven to gaudy day denies.

One shade the more, one ray the less,

Had half impaired the nameless grace

Which waves in every raven tress,

Or softly lightens o'er her face;

Where thoughts serenely sweet express,

How pure, how dear their dwelling~place.

And on that cheek, and o'er that brow,

So soft, so calm, yet eloquent,

The smiles that win, the tints that glow,

But tell of days in goodness spent,

A mind at peace with all below,

A heart whose love is innocent!

금아 번역은 번역 투의 때가 거의 벗겨진 한 편의 자연스러운 한국 시로 읽혀서 번역시라고 눈치채지 못할 정도다. 서정시인 피천득은 한국의 일반 보통사람들을 독자로 삼고 번역을 하였다.

(2) 동양 시 번역

다음으로 중국 진나라 때 시인이었던 도연명(365~427)의 시 한 수를 살펴보자. 피천득은 어려서 서당을 다니며 《통감절요》를 3권까지 읽었다. 그의 한문 실력은 왠만한 한시를 어렵지 않게 읽을 수 있을 정도로 탁월했다. 피천득은 도연명의 시 중 유명한 〈귀거래사〉, 〈전원으로 돌아와서〉, 〈음주〉 3편을 번역하였다. 이 중 오언시 〈전원으로 돌아와서〉를 읽어보자.

젊어서부터 속세에 맞는 바 없고
성품은 본래 산을 사랑하였다
도시에 잘못 떨어져
삼십 년이 가버렸다

조롱 속의 새는 옛 보금자리 그립고

연못의 고기는 고향의 냇물 못 잊느니

내 황량한 남쪽 들판을 갈고

나의 소박성을 지키려 전원으로 돌아왔다

네모난 택지(宅地)는 십여 묘

초옥에는 여덟, 아홉 개의 방이 있다

어스름 어슴푸레 촌락이 멀고

가물가물 올라오는 마을의 연기

개는 깊은 구덩이에서 짖어대고

닭은 뽕나무 위에서 운다

집 안에는 지저분한 것이 없고

빈 방에는 넉넉한 한가로움이 있을 뿐

긴긴 세월 조롱 속에서 살다가

나 이제 자연으로 다시 돌아왔도다

여기에서 이 시의 한문 원시를 제시한다.

귀원전거(歸園田居)

少無適俗韻 소무적속운

性本愛丘山 성본애구산

誤落塵網中 오락진망중

一去三十年 일거삼십년

羈鳥戀舊林 기조련구림

池魚思故淵 지어사고연

開荒南野際 개황남야제

守拙歸園田 수졸귀원전

方宅十餘畝 방택십여무

草屋八九間 초옥팔구간

榆柳蔭後簷 유류음후첨

桃李羅堂前 도리라당전

曖曖遠人村 애애원인촌

依依墟里煙 의의허리연

狗吠深巷中 구폐심항중

雞鳴桑樹顚 계명상수전

戶庭無塵雜 호정무진잡

虛室有餘閒 허실유여한

久在樊籠裏 구재번롱리

復得返自然 부득반자연

중국 문학 전공자인 장기근 교수가 한 이 시의 번역을 소개한다.

어려서부터 세속에 어울리지 못하고, 성품이 본시 산을 사랑했거늘
잘못하여 먼지 속 그물에 빠져들어, 어느덧 벼슬살이 13년을 겪었노라
떠돌이 새는 옛 숲을 그리워하고, 연못의 물고기는 옛 물을 생각하게

마련이니

　　나도 황폐한 남쪽 들을 개간하고, 어리석음을 간직하기 위하여 전원에 돌아가노라

　　방정한 집터 3백여 평 대지에, 조촐한 8, 9간의 초가집

　　뒤뜰의 느릅과 버들은 그늘지어, 처마를 시원히 덮고, 앞뜰의 복숭아 오얏꽃들 집 앞에 줄지어 피었노라

　　저 멀리 촌락이 어둑어둑 저물 새, 허전한 인간의 연기 줄줄이 피어오르고

　　마을 깊이 개 짖는 소리 들리고, 뽕나무 가지에는 닭이 홰를 치고 있네

　　뜰 안에는 잡스런 먼지 없고, 텅 빈 방은 한가롭기만 하노라.

　　나는 너무나 오래 세상 속에 갇혀 있다가, 이제야 다시 자연으로 되돌아왔노라

　　시인 피천득과 중문학자 장기근의 번역은 차이가 있다. 피천득은 시인으로서 일반 독자들을 위한 자유로운 의역을 하였고 장기근은 전공학자로 정확도를 위해 직역을 택했다.

　　피천득 번역은 매우 시적이다. 더욱이 금아는 중간에 두 개의 5언절구 구절의 번역을 생략했다(생략된 부분을 장기근의 번역으로 소개한다. "뒤뜰의 느릅과 버들은 그늘지어, 처마를 시원히 덮고, 앞뜰의 복숭아 오얏꽃들 집 앞에 줄지어 피었노라"). 피천득은 이 두 행이 전체 시 이해에 필요하지 않은 것으로 판단했을 것이다. 피천득의 번역 원칙은 이렇듯 독자들의 이해를 위해 원문의 일부를 삭제하기도 하고 때로는 추가하기도 한다. 우리는 미국 시인 에즈라 파운드가 중국 시를 영어로 번역할 때도 불필요하다고 생각되는 부분을 과감하게 삭제하여 시적 효과를 한층

더 높이는 것을 익히 보았다. 이 번역은 거의 창작에 가깝다고 볼 수 있다.

피천득은 어려서부터 당시 한반도를 풍미했던 타고르의 시를 번역이나 원문(벵골어를 영어로 번역한 것)으로 읽었음이 틀림없다. 1913년 아시아 최초로 노벨문학상을 받은 인도의 시성 라빈드라나드 타고르(1861~1941)는 1920년대에 영국의 식민지였던 인도처럼 일본의 식민지 경험을 하고 있던 당시 조선에 대해 각별한 관심을 가졌고 조선을 '고요한 아침의 나라'라고 부르며 1920년 《동아일보》 창간호에 〈동방의 등불〉이라는 시를 기고했다. 윌리엄 버틀러 예이츠가 그 유명한 〈서문〉을 써준 신에게 바치는 송가라는 뜻의 《기탄잘리》(1912)는 당시 조선 문단에서 번역으로 많이 읽혔다. 타고르는 열풍이라고 부를 정도로 대단한 인기를 누리고 있었고 타고르에 대한 피천득의 관심도 이와 무관하지 않을 것이다.

다고르의 시집 《기탄잘리》에서 선택한 두 편의 시 중 짧은 36번을 피천득의 번역으로 읽어보자.

이것이 주님이시여, 저의 가슴속에 자리잡은 빈곤에서 드리는 기도입니다.
기쁨과 슬픔을 수월하게 견딜 수 있는 그 힘을 저에게 주시옵소서
저의 사랑이 베풂 속에서 열매 맺도록 힘을 주시옵소서
결코 불쌍한 사람들을 저버리지 않고 거만한 권력 앞에 무릎 꿇지 아니할 힘을 주시옵소서
저의 마음이 나날의 사소한 일들을 초월할 힘을 주시옵소서
저의 힘이 사랑으로 당신 뜻에 굴복할 그 힘을 저에게 주시옵소서

피천득이 번역한 시적인 시행들이 아주 자연스럽게 우리 마음에 다가오는데, 이 시의 분위기는 피천득의 짧은 수필 〈기도〉에도 잘 나타나 있다.

피천득은 많은 일본 시를 읽었다. 금아가 특히 좋아한 시인들은 1900년대 초 낭만주의 시인들이었다. 그는 짧은 일본 시 3편을 번역하여 번역시집에 실었는데, 그중 한 편을 살펴보자. 다음은 26세로 요절한 시인 이시카와 타쿠보쿠(1866~1912)의 시 〈노래〉다.

헤어지고 와서
해가 길수록
그리운 그대

이시카리 시외에 있는
그대의 집
사과나무 꽃이 떨어졌으리라
긴긴 편지
삼 년 동안 세 번 오다
내가 쓴 것은 네 번이었으리

여기서 '노래'는 일본의 전통 시 와카(和歌)에서 따온 것이다. 이 시의 일본어 원문을 소개한다.

わかれ来て年を重ねて年ごとに恋しくなれる君にしあるかな
石狩の都の外の君が家林檎の花の散りてやあらむ

長き文三年のうちに三度来ぬ我の書きしは四度にかあらむ

일본 시 전공자인 서재곤 교수의 직역을 여기에 싣는다.

　　헤어지고 나서 해가 거듭될수록, 해마다 그리워지는 그대이구나
　　이시카리(홋카이도의 지역) 읍성 마을 변두리에 있는 너의 집 사과나
　무 꽃은 떨어졌겠지
　　긴 편지는 3년 동안에 3번 왔네 내가 쓴 것은 4번일 거야

　시인 피천득의 번역과 일본 시 전공 교수의 번역은 내용상 큰 차이가 없다. 다만 시인의 번역이기에 좀 더 시적인 것은 분명하다.

외국 번역시와 피천득의 삶과 문학

　피천득은 1993년 《동아일보》에 동물 연작시를 연재했다. 그중 〈양(羊)〉이란 시가 있는데, 이 시는 윌리엄 블레이크(1757~1827)의 시집 《천진의 노래》에 나오는 시 〈양〉과 공명 관계에 있다.

　　그 분은 네 이름과 같으시다
　　그 분은 자신을 양이라고 부르신다
　　그 분은 유순하고 온화하시다
　　그 분은 작은 아가였다
　　나는 아가 그리고 너는 양
　　우리는 그 분의 이름으로 불린다

이 시에서 '유순'하고 '온유'하다는 말이 피천득의 시 〈양〉에서 재현된다.

피천득이 1959년 발표한 시 〈교훈〉은 다음과 같다.

> 마음대로 되는 일이 별로 없는 세상이기에
> 참는 버릇을 길러야 한다고 타이르기도 하였다
> 이유 없는 투정을 누구에게 부려 보겠느냐
> 성미가 좀 나빠도 내버려 두기로 한다 (전문)

이 시는 피천득의 자녀 교육에 관한 생각이 나타나 있다. 그는 절제와 훈육 대신 어린 자녀들에게 자유를 훨씬 더 많이 주었다.

피천득이 후에 번역한 블레이크의 《천진의 노래》의 〈유모의 노래〉 뒷부분은 다음과 같다.

> "이제 집에 가자, 얘들아, 해가 졌다
> 그리고 밤이슬이 맺힌다
> 어서 어서, 장난은 그만두고 가자
> 아침이 하늘에 올 때까지"

> "아니야 아니야, 더 놀아, 아직도 낮이야
> 우리는 자러 가지 않을 거야
> 하늘에는 작은 새들이 날고
> 그리고 언덕에는 양 떼들이 놀고 있는데"

"그래 그래, 가서 놀아라, 햇빛이 스러질 때까지

그리고 그때 가자"

아이들은 뛰며 소리치며 깔깔댔습니다

그리고 모든 언덕이 메아리쳤습니다

이 두 시를 비교해 볼 때 두 시의 상호 관계는 분명해 보인다.

이 밖에 자신의 어린 시절을 회상하며 쓴 시 〈어린 시절〉은 다음
과 같다.

구름을 안으러 하늘 높이 날던 시절

날개를 적시러 푸른 물결 때리던 시절

고운 동무 찾아서 이 산 저 산 넘나던 시절

눈 나리는 싸릿가지에 밤새워 노래 부르던 시절

안타까운 어린 시절은 아무와도 바꾸지 아니하리

이 시에는 호연지기(浩然之氣)의 기상이 두드러진다. 피천득은 성
년이 되면서 유년시절의 생명력과 활력에서 멀어지는 안타까운 심정
을 토로하고 있다.

또한, 피천득이 번역한 조지 고든 바이런의 정치범들이 수용되
었던 〈시용 성(城)에 부친 소네트〉는 피천득의 시 〈국민학교 문 앞을
지날 때면〉(1947)에서 그려진 일제강점기 독립운동가들이 투옥되었
던 서대문 형무소를 연상시킨다. 바이런의 또 다른 시의 부드럽고 온
화한 여성미를 그린 〈그녀가 걷는 아름다움은〉에서는 피천득의 수필
〈여린 마음〉과 〈구원의 여상〉의 분위기를 메아리친다.

피천득이 번역한 도연명의 〈돌아가리라(귀거래사, 歸去來辭)〉는 은퇴하고 고향으로 돌아와서 쓴 이야기다. 한 구절을 읽어보자.

고향에서 가족들과 소박한 이야기를 하고
거문고와 책에서 위안을 얻으니
(…)
청명한 날 혼자서 산책을 하고
등나무로 만든 지팡이를 끌며
동산에 올라 오랫동안 휘파람을 불고
맑은 냇가에서 시를 짓고
이렇게 나는 마지막 귀향할 때까지
하늘의 명을 달게 받으며
타고난 복을 누리리라
거기에 무슨 의문이 있겠는가

이번에는 금아의 은퇴 후 말년의 양식을 잘 보여주는 시 〈만남〉과 비교해보자

그림 엽서 모으며
살아왔느니

쇼팽 들으며
살아왔느니

겨울 기다리며

책 읽으며 —
고독을 길들이며
살아온 나
(…)
찬물 같은 고독이
평화를, 다시 가져오다.

이 시에 금아의 말년 양식인 그림 보기, 음악 듣기, 책 읽기가 잘 드러나 있다. '왼쪽에 책, 오른쪽에 거문고'를 뜻하는 좌서우금(左書右琴)의 유유자적한 생활을 도연명의 시와 피천득의 시가 함께하고 있다.

피천득이 번역한 짧은 일본 시 중에 와카야마 보쿠스이(1885~1928)의 〈백조〉가 있다.

백조는 어이 슬프지 않으리
하늘의 푸르름 바다의 푸르름에도
물 아니 들고 떠 있네

이와 분위기가 아주 비슷한 피천득의 시 〈새〉(1988)를 읽어보자.

그래
너 한 마리 새가 되어라

하늘 날아가다

내 눈에 뜨이거든

나려와 마른 가지에
잠시 쉬어서 가라

천년 고목은
학같이 서 있으려니

  보쿠스이의 '백조'는 어떤 이유인지 너무 슬픈 나머지 푸른 하늘
아래 바다의 푸른 빛에 물들지 않고 물가로 내려오지 않고 하늘에 그
냥 떠 있다. 피천득은 '너'에게 새가 되어 학같이 서 있는 천년 된 고목
의 마른 가지로 내려와 잠시 쉬라고 권하지만 주인공이 새처럼 고목
가지로 내려와 쉬고 있는지는 확실하지 않다. 아마도 하늘을 그냥 날
고 있을 것 같다. 무슨 이유 때문인지 '백조'와 '새'는 현실 세계로 내려
오지 않고 고고하게 하늘에 그대로 있다. 아마도 피천득의 '새'는 일
제강점기라는 엄혹한 시대를 살고 있기에 현실에 쉽게 굴복당하지
않고 타협하지 않을 것이다.
  이와 유사한 분위기를 가진 금아의 시로 〈너〉(1992)가 있다.

눈보라 헤치며
날아와

눈 쌓이는 가지에
나래를 털고

그저 얼마 동안
앉아 있다가

깃털 하나
아니 떨구고

아득한 눈 속으로
사라져가는
너

이 시는 금아 자신이 가장 좋아하는 시이고 피천득의 자서전적 시로 읽힌다. 황폐하고 비루한 시대를 살아간 나라 잃은 망국민, 그리고 어려서 부모를 모두 여의고 천애고아로 살아간 피천득은 이 세상에 잠시 와서 머무르다 "깃털 하나/ 아니 떨구고" 다시 눈 속으로 사라져갔다.

피천득이 번역한 시집 《기탄잘리》의 60번 결론 부분을 읽어보자.

무한한 세계의 바닷가에 아이들이 모였습니다 폭풍은
허공에서 소리치고 멀리 죽음 있어도 아이들은 놉니다
무한한 세계의 바닷가에는 아이들의 크나큰 모임이 벌어집니다

타고르의 이 시에 등장하는 아이들은 피천득 시에 등장하는 수많은 어린 아기와 어린이를 연상시킨다. 어린아이는 언제나 순수한 동심의 상징이다.

피천득의 가장 긴 산문시 〈어린 벗에게〉(1934)의 마지막 부분을 살펴보자.

가을도 지나고 어떤 춥고 어두운 밤 사막에는 모진 바람이 일어, 이 어린 나무를 때리며 꺾으며 모래를 몰아다 뿌리며 몹시나 포악을 칠 때가 옵니다. 나의 어린 벗이여, 그 나무가 죽으리라고 생각하십니까, 아닙니다. 그때 이상하게도 그 나무에는 가지마다 부러진 가지에도 눈이 부시도록 찬란한 꽃이 송이송이 피어납니다. 그리고 이 꽃빛은 별 하나 없는 어두운 사막을 밝히고 그 향기는 멀리멀리 땅 위로 퍼져 갑니다.

피천득은 일제강점기에 어린이로 살았다. 이 엄혹한 시대를 지나면서도 살아남은 피천득은 '어린 벗'의 가능성과 희망의 표상을 제시하였다. 여기에서 우리는 시인 피천득에게 외국시 번역이 그의 삶과 문학에 얼마나 영향을 미쳤는가를 알 수 있다.

(3) 한국 시 영역

1) 1955년 한용운 시 영역

1955년 피천득이 처음으로 한국 시를 영어로 번역하여 《사상계》에 게재했다. 피천득은 만해 한용운(1879~1944)과 윤동주(1917~1945)의 시를 각 1편씩 영어로 번역하였다. 우선 한용운의 시 〈알 수 없어요〉의 한글 원문과 영어 번역만을 함께 싣는다.

바람도 없는 공중에 수직(垂直)의 파문을 내이며

고요히 떨어지는 오동잎은 누구의 발자취입니까.
지리한 장마 끝에 서풍에 몰려가는 검은 구름의 터진 틈으로
언뜻언뜻 보이는 푸른 하늘은 누구의 얼굴입니까.

꽃도 없는 깊은 나무에 푸른 이끼를 거처서 옛 탑(塔) 위의
고요한 하늘을 스치는 알 수 없는 향기는 누구의 입김입니까.
근원은 알지도 못할 곳에서 나서 돌부리를 울리고
가늘게 흐르는 작은 시내는 굽이굽이 누구의 노래입니까.

연꽃 같은 발꿈치로 가이 없는 바다를 밟고 옥 같은 손으로
끝없는 하늘을 만지면서 떨어지는 해를 곱게 단장하는 저녁놀은 누
구의 시(詩)입니까.

디고 남은 재가 다시 기름이 됩니다.
그칠 줄을 모르고 타는 나의 가슴은 누구의 밤을 지키는 약한 등불입
니까.

I Cannot Understand (Han Yong-wun)

Whose footsteps are the paulownia leaves
That fall soundlessly drawing after them perpendicular
Ripples in the still air?

Whose face is the blue sky that glances

Through the gaps of the black clouds driven

By the west wind after a long tedious rain?

Whose breath is the incomprehensible fragrance

That comes through the azure moss

Of the blossomless dark trees and touches

The tranquil sky along the ancient tower?

Whose song is the brook that flow sand curves,

Coming from an unknown source and

Making the stones murmur?

Whose poem is the evening glow decorating the day

That descends walking over the boundless sea

With her feet like lotus flowers and caressing the sky

With her gemlike hands?

The remaining ashes change into oil again and

My heart does not cease to burn—

For whose night does the faint lamp keep vigils?

《사상계》 1995년 11월호, 231쪽)

피천득의 한용운 시 영역은 수사학적 질문들로 연결된 시 원문의
뜻을 잘 담으면서 시적 효과를 그대로 자연스럽게 옮긴 탁월한 번역
작업이다.

2) 1959년 자작시 영역

금아는 한국 현대 시와 시조뿐만 아니라 자신의 시 6편을 직접 번역해 발표했다. 〈금아연가(Love Song)〉(18편), 〈조춘(Early Spring)〉, 〈그림(When I Draw A Picture)〉, 〈기다림(Waiting)〉, 〈단풍(Autumn Leaves)〉, 〈나의 가방(My Suitcase)〉, 〈파랑새(The Blue Bird)〉, 〈생명(Life)〉이 1959년에 간행된 《금아시문집》(경문사) 끝부분에 실려 있다. 여기서 그가 애송한 자작시 〈나의 가방〉 영역본을 소개한다.

I touch your bruised back
And stretch your twisted straps
And try to fix your broken locks.

When the frost—bitten autumn leaves
Inflamcd my heart,
I set out on my solitary journey.

The moon is bright on the snow, I said,
Catching the last train with you,
Going on an aimless journey.

You are old.
I wish I were old, too.
Old age, they say, settles a man down.

다음은 그의 한글 시 원작이다.

해어진 너의 등을 만지며
꼬이고 말린 가죽끈을 펴며
떨어진 장식을 맞춰도 본다.

가을 서리 맞은 단풍이
가슴에다 불을 붙이면
나는 너를 데리고 길을 떠난다.

눈 위에 달빛이 밝다고
막차에 너를 싣고
정처 없는 여행을 떠나기도 하였다.
늙었다 ― 너는 늙었다
나도 늙었으면 한다
늙으면 마음이 가라앉는단다.

위의 영시는 번역가가 자작시를 직접 번역했기에 오래된 가방에 대한 피천득의 애틋한 마음이 영어로도 잘 드러나 있다.

피천득은 자신의 연작시 〈금아연가〉 18편 중 12편을 영어로 번역하여 《금아시문선》(1959)에 실었는데 그중 1번을 원시와 더불어 여기에 소개한다.

〈금아연가〉 1

길가에 수양버들
오늘따라 더 푸르고

강물에 넘친 햇빛
물결 따라 반짝이네

임 뵈러 가옵는 길에
봄빛 더욱 짙어라

Greener are the willows.
Bluer is the sky.

Sunbeams on the river
Twinkle with the waves.

On the way to her home
Spring is richer.

    피천득의 자작시 영역을 살펴보면, 시행이 짧고 간결한 운율 구
조를 가진 한국어 사랑의 원시가 영어 운율에 맞게 짧고 간결한 영어
로 깔끔하게 번역되었다. 피천득이 생전에 자신의 시와 수필 전편을
직접 영역해두었다면 얼마나 좋았을까 하는 아쉬운 마음뿐이다. 나

아가 중요한 한국의 고전 시와 현대 시를 영어로 번역해 놓았으면 오늘날 우리에게 얼마나 훌륭한 한글 시 영역의 길잡이가 되었을까.

3) 한국 시의 세계화

피천득은 일생 어떤 학술 단체나 문인 단체에 가입한 적이 없었지만, 유일하게 1970년 국제PEN클럽 한국본부 주최로 서울에서 개최된 제19차 세계PEN대회에 적극적으로 참여하였다(당시 회장·이사장은 백철 교수였다). 그는 당대 저명한 작가들, 미국의 존 업다이크와 중국의 린위탕(林語堂), 그리고 일본의 가와바타 야스나리와 함께 세계대회 주제였던 유머에 관한 글도 발표하였다. 무엇보다도 피천득이 이 세계대회를 통해 이룬 업적은 현대 한국 시 여러 편을 영어로 번역하였을 뿐만 아니라 최남선, 정인보 이래 한국 현대 시조 시인 31명의 시조 57편을 백승길, 제임스 웨이드와 같이 번역한 점이다.

그중에서 김상옥(1920~2004)의 시조 〈다보탑〉은 피천득이 단독으로 번역한 것으로 표기되었다. 여기에 그 영역 시조를 소개한다.

The sparks fly this way
The stone chips that way.
Nigt and day,
Hammer rings loud on chisel,
Over the Paeg'ungyo
Rises the Pagoda.

Round flowery plate, eight~cornered railing;

Story over story the fair attitude.

Whenever the master's hand touches,

Stone attire blossoms fresh.

Now the pinnacle

Holds up the azure sky.

이 시의 한국어 원문은 다음과 같다.

불꽃이 이리 튀고 돌조각이 저리 튀고
밤을 낮을 삼아 정소리가 요란하더니
불국사 백운교에 탑이 솟아오르다.

꽃쟁반 팔모 난간 층층이 고운 모양!
임이 손 간 데마다 돌 옷은 새로 피고
머리엔 푸른 하늘을 받쳐 이고 있도다

이 영역 작품들은 《*Modern Korean Poetry*》란 제목으로 국제PEN클
럽 한국본부가 당시 문화공보부의 재정지원을 받아 1970년에 발간하
였으며, 피천득 외에 김종길, 이창배, 김우창, 황동규 교수 등이 번역
진으로 참여하였다.

금아는 이 한국 현대시 영역시집에 김소월의 시 〈진달래꽃〉 등
10편의 한국 시를 영어로 번역하였는데, 그 외에 번역된 다른 시인들
의 이름과 작품을 여기에 적어둔다 : 김상용 〈남쪽으로 창을 내겠소〉,
이장희 〈봄은 고양이로소이다〉, 오일도 〈로변의 엘리지〉, 김용호 〈매

화〉, 박목월 〈나그네〉, 김남조 〈신춘〉, 〈부드러운 비같은 사랑을 그대
에게 드리리〉, 홍윤숙 〈장식에 대하여〉, 〈생의 향연〉.

　　그 중에서 김소월의 〈진달래꽃〉과 그 영역본을 살펴보자.

Chindallae(Korean azalea)

　　　　　　　　　　　　　　　　　　　　　　Kim So-wol

When you go away, weary of me,
I will, I will let you go.

Yongbyon Yaksan chindallae,
An armful of them will I pluck
And spread the flowers as you go.

Tread softly step by step,
And go your way upon my flowers.

When you go away, weary of me
I will not, I will not shed tears
Even though I die.

진달래꽃

나보기가 역겨워

가실 때에는
말없이 고이 보내 드리오리다

영변에 약산
진달래꽃
아름 따다 가실 길에 뿌리오리다

가시는 걸음걸음
놓인 그 꽃을
사뿐히 즈려 밟고 가시옵소서

나 보기가 역겨워
가실 때에는
죽어도 아니 눈물 흘리오리다

　　김소월의 향토색 짙은 한글 시어와 그 토속적 정서 그리고 한국 전통적 운율로 이루어진 최고의 서정시 〈진달래꽃〉을 발음 조직이나 음률 체계가 전혀 다른 영어로 옮긴다는 것은 기본적으로 불가능하다. 김소월 시는 3행 4연의 정형적 운율을 가진 자유시이나 피천득은 1, 3연은 2행, 2, 4연은 3행 총 4연의 영시로 바꾸었다. 철저하게 영어의 운율체계에 익숙한 외국(영미)의 독자들에게 전통적 한국 시인 김소월의 정서적 시어와 섬세한 감정을 어떻게 전달할 것인가를 고심하였을 것이다.
　　피천득은 이미 "사실 다른 나라 말로 쓰인 시를 완전하게 옮긴다는 것은 불가능한 일입니다. 시에는 그 나라 언어만이 가지고 있는 고유의 감성과 정서가 담겨 있기 때문입니다"라고 언명한 바 있다. 그러나 일부 시 번역학자들이 주장하듯이 '번역의 불가능성'을 믿지 않은 피천득은 영시에서 자연스러운 율격이나 각운을 포기하는 대신 어구를 반복하여 일종의 리듬을 만들고자 하였다. "When you go away, weary of me", "I will (not), I will (not)", "you go" 등이 그 예이다. 과연 서양인들은 이런 시적 장치로 영역된 김소월의 시 〈진달래〉에서 어떤 한국적 정서를 찾아냈을까?

다음은 박목월의 시 〈나그네〉와 피천득의 영역시를 읽어보자.

강나루 건너서
밀밭 길을

구름에 달 가듯이
가는 나그네
술 익은 마을마다
타는 저녁놀

길은 외줄기
남도 삼백 리

술 익는 마을마다
타는 저녁놀

구름에 달 가듯이
가는 나그네

The Traveller

Pak Mok-wol

Crossing the river by ferry
And taking the road through the corn,
The Traveller goes his way
Like the moon through the clouds.

The road is the only way,
Three hundred ri to the south.

In each village the wine is brewing
And the evening, a fiery glow.

The Traveller goes his way,
Like the moon through the clouds.

Once the night is over
The blossoms will all have fallen.

Passion and sorrow being a malady

Quiet, trembling under the moon he goes.

　　박목월의 짧은 시 〈나그네〉는 영어로 번역하기가 더 어려워 보인다. 그런데 눈에 확 들어오는 것은 원시는 5연인데 번역시는 7연이다. 어찌 된 일인가? 5연까지는 원시와 번역시가 같이 가는데 피천득은 원시에도 없는 2연을 더 추가했다. 왜 그랬을까? 아마도 이것은 단순미의 극치에 이른 〈나그네〉를 직역하기보다 서양인들의 정서와 어울리는 2연을 덧붙여 서양 독자들의 이해와 감상을 더 쉽게 하기 위한 것이리라. 추가된 2연을 번역해보자.

　　이 밤이 지나면
　　꽃봉오리 떨어지리

　　열정과 슬픔은 질병이기에
　　달 아래로 조용히 전율하며 가는 나그네.

　　번역가 금아의 이런 대담한 시도는 시를 직역하기보다 영어권 독자들의 가독성을 높이기 위해 과감한 의역의 가능성을 실험하였다.

　　피천득은 1970년 서울에서 개최된 제27차 국제PEN대회에서 〈현대사회에서의 해학의 기능〉이란 글을 영어로 발표하였다. 이 발표문에서 그는 송강 정철과 명월 황진이의 고전 시조 2수를 영어로 번역하였다. 여기서는 황진이 시조의 영역을 소개한다.

　　동짓달 기나긴 밤을

한 허리를 들어내어

춘풍 이불 아래

서리서리 넣었다가

어른님 오시는 날이면

굽이굽이 펴리라

I cut in two

A long November night, and

Place half under the coverlet,

Sweet~scented as a spring breeze

And when he comes, I shall take it out,

Unroll it inch by inch, to stretch the night.

    한국의 고유한 정형시 고전 시조가 피천득의 번역으로 서양인들에게 놀랍고 새로운 이미지를 가진 시로 변신되었다.

    1960년대 초 피천득은 당시 하버드대 교환교수 시절에 알던 지인들로부터 미당 서정주의 시를 번역해달라는 의뢰를 받았다. 미당 서정주(1915~2000)는 미국의 노벨 문학상 수상 작가 윌리엄 포크너(1897~1962)가 계획한 시화집 《헨리: 포크너의 그림에 영감 받은 세계 시인들의 시선집》에 실리게 될 시 한 편을 청탁받았다. 미국 남부 흑인 문제에 관심을 가진 소설가로 그림에도 능했던 포크너는 헨리라는 흑인 노인의 초상화를 전 세계 주요 시인에게 보내며 시를 청탁했다. 그러나 시 쓰기에 실패한 서정주는 그 대신 예전에 써놓았던 시

〈동천(冬天)〉을 보냈는데, 피천득이 서정주의 이 시를 번역한 것이다.
〈동천〉부터 읽어보자.

　　　내 마음 속 우리 님의 고운 눈썹을

　　　즈믄 밤의 꿈으로 맑게 씻어서

　　　하늘에다 옮기어 심어놨더니

　　　동지섣달 날으는 매서운 새가

　　　그걸 알고 시늉하며 비끼어가네.

　　피천득의 번역시 〈Winter Sky〉는 다음과 같다.

　　　With the dreams of a thousand nights

　　　I bathed the brows of my loved one

　　　I planted them in the heavens.

　　　That awful bird, that swoops through the winter sky

　　　Saw, and knew them, and swerved aside not to touch them!

　　헨리라는 평범한 흑인의 삶을 기리는 시 대신 서정주가 보내준 시를 피천득은 서구인의 정서에 맞게 번역하였다. 〈동천〉은 원래 40대 시인이 한 여대생을 흠모해 지은 시였는데 연애시가 보편적 인류애를 기념하는 시로 읽히게 된 것이다.

　　지금까지 금아 피천득의 번역 작업에 대한 논의를 통해 그의 번역문학가로서의 면모를 살펴보았다. 그의 번역은 영문학자나 교수로

서보다 모국어인 한국어의 혼과 흐름을 표현할 수 있는 탁월한 능력을 갖춘 토착적 한국 시인으로서의 번역이다. 그는 《내가 사랑하는 시》의 〈서문〉에서 밝힌 대로 자신의 번역 방법과 목적에 충실하였다. 금아는 영시 강의를 시 창작과정이나 번역 작업과 분리하지 않았다. 필자가 대학 시절 수강한 영미 시 강의에서 피천득이 학생들에게 강조한 것은 낭독(읽기), 암송, 번역이었다. 금아는 번역 작업을 자신의 문학과 깊게 연계시켰을 뿐만 아니라, 번역을 부차적인 보조 작업이 아니라 창작에 가까운 '문학 행위' 자체로 보았다.

한국의 현대 문학사에서 개화기 때부터 시작된 서양의 번역시는 외국 문학으로만 남지 않는다. 아니 남을 수 없다. 번역물은 우리에게 들어와 섞이고 합쳐져서 새로운 창조물로 거듭 태어난다. 피천득의 번역시는 한국 독자들이 우리나라 시를 읽는 것처럼 자연스러운 느낌이 들게 하고 쉽고 재미있게 번역되어 한국문학에 새로운 토양을 마련하였다. 다른 역자들의 것과 비교하여 그의 번역시는 번역 투에서 벗어나 한국어답게 자연스럽고 서정적이며, 글자만 외국어에서 한글로 바뀌었지 원작 시의 영혼(분위기와 의미)이 그대로 살아 있다. 이것이 번역문학가로서 피천득의 가치이며 업적이다. 그의 이런 면모를 볼 때 피천득의 번역 작업은 고전 한국 시 전통뿐만 아니라 현대 한국 시 전통과도 맞닿아 있다고 볼 수 있다.

앞으로 번역문학가 피천득에 대한 접근은 그의 문학세계 전체와의 관계 속에서 이루어져야 한다. 특히 그의 번역시들과 창작 시편들을 형식과 주제의 양면에서 비교문학의 방법으로 연계시켜야 한다. 자신의 외국 시 번역 작업을 자신의 시 창작의 훈련 과정과 연계시킨 피천득은 번역 작업과 번역시 자체의 독립적 가치를 인정하였다. 더욱이 그의 번역시의 논의에서 좀 더 많은 번역시들을 포괄적으로 동시에 구체적으로 논의하기 위해서는 원시와의 상호관련성 등 비교 세계문학의 여러 방법을 개입시킬 수 있을 것이다.

그렇지만 금아는 외국 시를 번역할 때 한국 토착화에만 중점을 둔 것은 아니었다. 금아는 번역시선집 《내가 사랑하는 시》의 서문에서 각 국민문학의 타자성을 초월하여 이미 양(洋)의 동서를 넘나드는 문학의 보편성 문제를 제기한 바 있다. 지방적인 것과 세계적인 것이 통섭하는 '세방화(世方化, glocalization)' 시대를 가로질러 타고 넘어가는 새로운 세계시민주의적 현상을 금아는 직시하고 있었다. 모국어인 한국어는 물론 한문, 일본어 그리고 영어에도 탁월한 외국어 능력을 보인 금아는 번역을 통해 보편 문학으로의 세계문학을 꿈꾸었다고 볼 수 있다.

번역은 이미 언제나 인류 문명사에서 가장 중요한 문명 이동과 문화교류의 토대가 된 소통의 방법이었다. 번역이라는 이름의 소통이 없었다면 인간세계는 결코 지금처럼 전 지구화(세계화)를 이룩해내지 못했을 것이다. 이런 시각에서 우리는 금아 선생의 외국어 시와 산문 번역 작업을 한국 번역문학사의 맥락에서 나아가 한국문학의 세계화 과제 앞에서 본격적으로 재조명해야 할 것이다.

편집자 정정호

피천득 문학 전집 출판지원금 후원자 명단(가나다 순)

강기옥	김미원	김윤숭	박무형	신명희
강기원	김미자	김재만	박성수	신문수
강기재	김복남	김정화	박순득	신숙영
강내희	김부배	김준한	박영배	신윤정
강순애	김상임	김진모	박영원	신호경
강은경	김상택	김진용	박윤경	심명호
강의정	김석인	김철교	박인기	심미애
강지영	김선웅	김철진	박정자	심재남
고동준	김선주	김필수	박정희	심재철
고순복	김성숙	김한성	박종숙	안 숙
고윤섭	김성옥	김해연	박주형	안국신
공혜련	김성원	김현서	박준언	안성호
곽효환	김성희	김현수	박춘희	안양희
구대회	김소엽	김현옥	박희성	안윤정
구명숙	김숙효	김후란	박희진	안현기
구양근	김숙희	김훈동	반숙자	양미경
국혜숙	김시림	김희재	배시화	양미숙
권남희	김애자	나종문	변주선	양영주
권오량	김 영	나태주	변희정	염경순
권정애	김영석	노재연	부태식	오경자
김갑수	김영숙	류대우	서 숙	오문길
김경나	김영애	류수인	서수옥	오세윤
김경수	김영의	류혜윤	서장원	오숙영
김경애	김영태	문수점	석민자	오영문
김경우	김용덕	문용린	성춘복	오차숙
김광태	김용옥	민명자	소영순	오해균
김국자	김용재	민은선	손 신	우상균
김남조	김용학	박 순	손광성	우한용
김달호	김우종	박경란	손은국	우형숙
김대원	김우창	박규원	손해일	원대동
김두규	김유조	박기옥	송은영	위성숙

유미숙	이승하	장석환	차현령
유병숙	이애영	장성덕	채현병
유안진	이영란	장종현	천옥희
유자효	이영만	장학순	최미경
유종호	이영옥	전대길	최성희
유해리	이영자	전명희	최원주
유혜자	이원복	정경숙	최원현
윤근식	이은채	정목일	최현미
윤재민	이인선	정 민	추재욱
윤재천	이재섭	정범순	피수영
윤형두	이재희	정복근	하영애
윤희육	이정록	정선교	한경자
이경은	이정림	정우영	한경자
이광복	이정연	정은기	한종인
이근배	이정희	정익순	한종협
이기태	이제이	정정호	허선주
이길규	이종화	정혜연	홍미숙
이달덕	이창국	정혜진	홍영선
이동순	이창선	정희선	황경옥
이루다	이태우	조광현	황길신
이루다	이해인	조남대	황소지
이만식	이형주	조무아	황아숙
이배용	이혜성	조미경	황은미
이병준	이혜연	조순영	황적륜
이병헌	이혜영	조은희	금아피천득선생 기념사업회
이병호	이후승	조정은	금아피천득문학전집 간행위원회
이상규	이희숙	조중행	서울사대 동창회
이상혁	인연정	조한숙	서울사대영어교육과 동창회
이선우	임공희	주기영	서초구청
이성호	임수홍	지은경	재) 심산문화재단
이소영	임종본	진길자	주) 매일유업
이수정	임헌영	진선철	주) 인풍
이순향	장경진	진우곤	

편집자 소개

정정호(鄭正浩) 1947년 서울 출생.
서울대학교 영어교육과 졸업. 같은 대학원 영어영문학과 석사 및 박사과정 수료.
미국 위스콘신(밀워키) 대학교에서 영문학 박사 학위(Ph.D.) 취득. 홍익대와 중앙대 영
어영문학과 교수 · 한국영어영문학회장과 국제비교문학회(ICLA) 부회장 · 국제 PEN한
국본부 전무이사와 제2회 세계한글작가대회(경주, 2016) 집행위원장.
최근 주요 저서 : 《피천득 평전》(2017)과 《문학의 타작: 한국문학, 영미문학, 비교문학,
세계문학》(2019), 《번역은 사랑의 수고이다》(이소영 공저, 2020), 《피천득 문학세계》
(2021) 등.
수상: 김기림 문학상(평론), 한국 문학비평가협회상, PEN번역문학상 등.
현재, 국제 PEN한국본부 번역원장, 금아피천득선생기념사업회 부회장.

피천득 문학 전집 4 번역시집

나는 미를 위하여 죽었다

초판 1쇄 발행 2022년 5월 10일

책임편집 정정호
펴낸이   윤형두
펴낸곳   범우사

등록번호 제 406-2004-000048호(1966년 8월 3일)
        (10881) 경기도 파주시 광인사길 9-13 (문발동)
대표전화 031)955-6900, 팩스 031)955-6905

홈페이지 www.bumwoosa.co.kr
이메일   bumwoosa1966@naver.com

ISBN 978-89-08-12476-9 04080
ISBN 978-89-08-12472-1 04080 SET

* 잘못된 책은 바꾸어 드립니다.